どんな人でも1番結果が出る勉強法

合格は「あたりまえ化」の法則

宇都出雅巳
Utsude Masami

TAC出版
TAC PUBLISHING Group

はじめに

「学校の勉強」から卒業しよう！

あなたも必ず結果が出る

「本当にどんな人でも結果が出るの？」

そんな疑いを持ちながら、あなたはこの本を手に取られたかもしれません。

「はい、どんな人でも結果は出ます！」

そのことは、『序章：「結果が出る」3つのポイント』を読んでもらえば納得していただけるでしょう。決して簡単ではありませんが、だれでもできる、今すぐできるシンプルなものです。

本書の「結果が出る勉強法」を一言でいうとそれは……

「めざす結果と常に向き合い続ける勉強法」です。

結果を出したいと思いながら、なぜか多くの人が結果とちゃんと向き合っていません。なので、結果が出ないのです。

これに対し、この勉強法は常に結果にフォーカスし続けるので、必ず結果が出るのです。

また、「自分は勉強苦手なんですけど……」という方でも大丈夫です。これまでとはまったく違う「勉強」をしてもらうからです。

逆にいえば、これまでの「勉強」、つまりあなたが子どものころに経験して身につけた「学校の勉強」を卒業してもらわないと、結果は出ません。

実は「学校の勉強」こそが結果を無視した勉強だったからです。

「学校の勉強」では結果は出ない

学校の勉強は基本的に集団で、一斉に勉強します。テキストを使い、座学で、「前から順番」に行います。あくまで全体の効率を優先し、一律・均一を重視したものになっています。そして、残念ながら、一人ひとりが「結果を出す」ことへのこだわりは見られず、選別、順位づけの仕組みになっています。

その証拠に、テストは基本的に中間試験、期末試験など、何ヵ月かに1回の頻度で行われます。その目的は評価・成績をつけるためです。試験後、生徒全員がわかるようにフォローアップすることは行われないのが普通です。


あなたはこれまで、「結果が出る勉強」をしてきていないのです。本書ではとにかく「結果が出る勉強法」をお伝えしていきます。もちろん、「学校の勉強」のよいところは取り入れますが、あくまで「結果が出る」ことにこだわっていきます。

では、あなたの「学校の勉強度」をチェックしてみましょう。あなたがうなずく項目にチェックを入れてみてください。

□ ゆっくりじっくり「考える」ことが勉強だ
□ 前から順番に積み上げて理解することが勉強だ
□ 椅子に座り、机・本に向かうことが勉強だ
□ まずはインプットしてからで、アウトプットは後からが勉強だ

□ 問題集は答えを見ないでウンウン考えて解くことが勉強だ
□ わからないところを今すぐわかるようにする。それが勉強だ
□ 問題集を解く、答練・模試を受けることがアウトプットだ
□ 問題集・テキストはキレイに大切に扱わなければならない
□ 全部の問題・選択肢が完璧にわからなければならない

もし半分以上チェックがついていたら、あなたは「学校の勉強」にドップリつかっています。

これでは勉強で結果が出ず、苦手と思うのもムリはありません。逆に、まったくチェックがつかなくなったら、あなたは晴れて「学校の勉強」から卒業です。確実に結果が出るようになっています。

勉強は最もコスパのよい投資

「勉強なんて地味なこと、やってられない」

「もっと、コスパ、タイパのいいことをやるよ」

こんなふうに思う人がいるかもしれませんが、それは大きな間違いです！　世のなか、一見おいしそうな仕事や儲け話が転がっていますが、それはあなたも薄々感じているようにほとんどうまくいきません。

でも、勉強は違います。ほんの数分程度のスキマ時間を活用しながら、ほとんどお金をかけず、確実に結果を出すことができます。

本書は、大学・大学院受験、資格試験などの〝試験勉強〟が対象です。

あなたが試験勉強に投資した時間は確実に将来のリターンとなって返ってきます。もちろん、今は弁護士ですら稼げない時代です。何かの資格を取ったからすぐに稼げて安泰というわけにはいきません。しかし、資格は収入アップや独立開業のハードルを確実に下げてくれます。

試験勉強は、範囲や試験日が決まっていて明快です。しかも合格・不合格という明確な結果が出ます。だれもが気軽に取り組め、わかりやすい「投資」です。

さらに、この「結果が出る」勉強法を身につければ、ビジネスを立ち上げ、お金を稼ぐのも簡単になります。

ビジネスでは顧客や競争相手、世のなかの動きなど、考えないといけないことが増えます。とはいえ、「結果が出る」ための基本は勉強とまったく同じだからです。

だからこそ、「結果が出る勉強」に今すぐ投資をしたほうがいいのです。元手は、ほとんどいりません。

どんな人でも大丈夫！

私はこれまで数多くの試験に挑戦し、小さいときから、60歳を目前にした今まで、試験に合格してきた人間です。

11歳での私立中高一貫校受験、17歳での東京大学受験、30歳での米国ビジネススクール受験のほか、さまざまな資格試験に挑戦してきました。

20代ではシステムアナリスト（高度情報処理技術者）、30代ではフィナンシャルプランナー（CFP、6科目一発合格）、40代では行政書士（2ヵ月一発合格）、宅建士、50代では公認会計士にも合格しました。

そのなかで、速読法、記憶法、コーチング、認知科学を試験勉強に取り入れ、独自の勉強法を開発。多くの受験生を指導し、合格のサポートをしてきました。

50年近い、試験勉強の実践研究の結晶が本書の勉強法なのです。

私が最初の勉強本『速読勉強術』（小著、すばる舎、2007）を出版したのは、今から15年以上前になります。その後、10冊近い勉強本を出しました。

多くの人も勉強本を出版しています。今やYouTubeでもたくさんの人が勉強法について発信しています。そんななか、なぜ本書を出版するのか？

その理由は「昔だったら……」「若いころは……」というシニア世代、さらに社会人の多くの人が持つ勉強に対するマイナス思考をなくしたいからです。

こんな思考は大間違いです。

そう思う人たちに「どんな人でも必ず結果は出る！」ということを伝えたいのです。

たしかに年を取ると人は衰え、責任や心配事も増えます。「自分中心」「勉強専業」の若者と比べると、体力も勉強時間も注意力もエネルギーも減り大変です。

一方、年を重ねるとさまざまな人生経験や知識などが得られます。試験勉強ではそれが有効に働きます。特に仕事の場面では、常に「結果」と向き合ってきたでしょう。そこでの経験、知見が非常に役立つのです。

最初に「学校の勉強」からの卒業が大事だといいました。卒業した先にあるのは「仕事」です。この「結果が出る」勉強法の本質は、勉強を「仕事」として捉えること。試験勉強を仕事の一つのプロジェクトとして捉えてみてください。

こう考えるだけで、これまでの「勉強」のイメージがガラリと変わりませんか。もうすでに本書でお伝えする勉強法の本質をつかんだ人もいるでしょう。

また、これは若い人でも「結果が出る」勉強法です。そして、今後の仕事で結果が出る思考を身につけられます。

結果が出るために必要なことはただ一つ

結果が出るために、絶対に必要なことが一つだけあります。

それはあなたが自分自身と向き合い続ける「覚悟」です。

何も難しいことはありませんが、簡単でもありません。

ダイエットを例にすると、毎日体重計に乗って自分の体重と向き合えるか？

裸になって自分の姿を直視できるか、ということです。

人間はごまかしや言い訳が得意です。

人はつい現実から目をそむけたくなります。でも、最終的にはごまかせません。いかに早く現実と向き合えるか？　これが結果が出るためのカギです。


人生百年時代といわれて久しいですが、多くの人が定年後のビジョンを描けておらず、若い人も多くがあきらめてしまっているように見えます。

本書で、結果はどうやって出るかを知り、一歩前に進んでもらいたいのです。

そのために必要なのは、まずは「自分」と向き合うこと。

この覚悟ができたら、さっそく「結果が出る」勉強法に入りましょう。覚悟はできないという方も、読んでいくうちに覚悟はできてきます。怖がらなくて大丈夫です。一緒にやっていきましょう！

7つの法則

＝受験生が待っていた! 試験合格に直結する方法

第1章 ゴールを明確にする法則
第2章 今の自分を明確に見つめる法則
第3章 報われる勉強を続ける法則
第4章 速く読み・理解し・記憶する法則
第5章 「勉強しない自分」を変える法則
第6章 時間のムダをなくす法則
第7章 試験別「あたりまえ化」の法則

私の勉強法に慣れている人は、第7章から読んで、効果を実感してください!

7つの法則でめざす「結果」

「あたりまえ化」とは?

試験当日、合格点を取るために必要な知識が「あたりまえ・常識」になっている状態にすること。だれもが解ける難易度A(易)の問題を落とさず、確実に取り、難易度B(普通)の問題の正解確率を高め、合格点を超えるためにめざす「結果」。

「あたりまえ化」は「結果」にフォーカスした「3つの基本動作」の繰り返しで達成できる

1		2		3
読む	➡	思い出す	➡	語る

繰り返し（3→1）　繰り返し（3→2）

＊1～3のハードルを下げ、「あたりまえ化」するまで、がんばらないで徹底的に繰り返す!

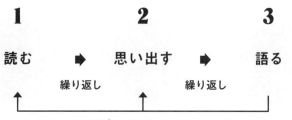

本書のトリセツ

試験勉強と同じく、本書も単に「読む」だけでは「結果」は出ません。本書は、結果が出るための「3つの基本動作（＝「読む」「思い出す」「語る」）」を繰り返し、「あたりまえ化」するものです。

めざす状態

本書の内容を「試験勉強ならこんなのあたりまえですよ」と周りの人にスラスラと説明できるくらい「あたりまえ化」する。

＊P.10に本書のエッセンスを1ページでまとめました。試験勉強で結果が出る＝
これらを著者の私であるかのように、スラスラと思い出し、語れるようになることです。

実際にやってみる!

1 いきなり上の状態はハードルが高いので、ハードルを下げる。

まずは、序章『**「結果が出る」3つのポイント**（P.18〜）』を「あたりまえ化」してスラスラ語れるようになりましょう。これならできそうでしょう。

2 はじめは『「結果が出る」3つのポイント』って何？ となる。

ここでは、それが何かを知ることが必要です。そのためには本書をまずは「読む」こと。読めば、「ああ、これが3つのポイントね」とすぐわかるでしょう。ただ、これはまだスタート地点に過ぎません。

3 30分後、『「結果が出る」3つのポイントは?』と自分に問いかける。

おそらくすぐに「思い出す」ことはできず、スラスラ「語る」こともできないでしょう。
めざす状態は上で説明した通り。こうならないと、本当に理解・記憶したといえませんし、結果が出る勉強法を日々実践できません。

まずは、『「結果が出る」3つのポイント』を「あたりまえ化」しましょう。「3つの基本動作」を繰り返すのです。

著者直伝! 解説動画ページ 勉強のやり方がわかりやすく、おもしろく学べる!

注目! **本書にあるQRコードを読み取って、解説動画で、結果の出し方とコツを吸収しよう!**

CONTENTS

『どんな人でも1番結果が出る勉強法　合格は「あたりまえ化」の法則』

はじめに「学校の勉強」から卒業しよう！ 001

本書のトリセツ 010 011

序章 「結果が出る」3つのポイント

0 あなたのめざす結果はいつも出ている 018

1 めざす結果＝ゴールを明確に！ 019

2 今のあなた＝現在地を明確に！ 020

3 結果に直結＝報われる勉強を！ 022

第1章 ゴールを明確にする法則

導入解説 「結果」を明確にする 026

01 「この試験に合格できなかったら？」を想像する 032

02 「この試験に合格できたらどうなるか？」を想像する 036

03 「〇〇年〇月 〇〇試験合格」と、今すぐ、紙に書く 039

04 試験のことをトコトン知る ——何はともあれ「過去問」を想像する 043

過去問は解かないで、
とりあえず、ざっくり読む 047
分厚い問題集・テキストは、さっさとバラす 052
勉強時間ではなく、
過去問を「つぶす」ことが目標 056
めざす結果は「あたりまえ化」 060
「計画」を立てるより、
「過去問」を繰り返し読む 064
試験当日に、
範囲が塗りつぶされた状態をめざす 068
まとめ 目標が明確になれば勉強は加速する 071

第2章 今の自分を明確に見つめる法則

導入解説 二つの「ズレ」に気づく 074
今、読んだ・聞いた内容を、
すぐに口に出してみる 080
「わかっているか」は、
さっさと口に出してテストする 084
わからないところを見つける 088
「全然わからない……」は禁句にする 091
「試験勉強」だから、
とにかく「試験」をしまくる 094
「思い出す」ができたら、次に「語る」 097
キーワードは○で囲み、
線でつなぎ、図解化する 101
今、覚えていなくても落ち込まない 107
スランプは成長の証、喜びつつ乗り切る 110
まとめ つらくても現実から逃げない 113

第3章 報われる勉強を続ける法則

導入解説 報われる勉強・報われない勉強 116
頭のなかにあることは外に出して、
脳をラクにする 122
スマホはカバンの奥深くにしまう 125
やる気がないときこそ、少しでもやる 128
1日の初めは必ず復習から始める 131
まったく勉強しないより、少しでも勉強する 136
とにかく基本問題を落とさない 139
勉強のハードルは下げて下げて下げまくる 142
わからなければ、どんどん飛ばす 145
まとめ 結果にこだわると脳がラクになる 149

第4章 速く読み・理解し・記憶する法則

導入解説 速読術・記憶術の本当の使い方 152
いちいち音にしなければ速く読める 156
文字をかたまりで捉えれば速く読める 159
「今すぐわかろう」としなければ速く読める 162
試験勉強で、記憶術は「目次」に活用せよ 164
頭の「外」に記憶する
――街を本にしてしまう 167
記憶はつながり。とにかくつなげまくる 171

勝手に繰り返しが増える仕組みを作る 173
丸暗記せずに理解
＝スラスラ語れるようにする 176
速読術も記憶術も「ストック」がカギ 179

第5章 「勉強しない自分」を変える法則

導入解説 人は変わらないように努力している 182
一つずつ、合格《うか》る口ぐせを増やしていく①
「ほんの少しでも」 185
一つずつ、合格《うか》る口ぐせを増やしていく②
「とりあえずやってみる」 187
やる気がなくても、
キッチンタイマーを3分セットして始める 190
「合格する自分」にさっさとなる 192
「コツコツ継続」が最後に結果を出す 195
困ったら紙に書き出せ、外に出せ 198

第6章 時間のムダをなくす法則

導入解説 「速く」より「早く」行う 202
「やる気がしない……」と、
やる気を待っているのが時間のムダ 206

02 「次は何を勉強しよう……」と考えているのが時間のムダ 208

03 「うーん」と考えているのが時間のムダ 212

04 「10分しかない……」とあきらめているのが時間のムダ 214

05 「手元に何もない……」とあきらめているのが時間のムダ 217

06 いちいち「美しい」ノートを作っているのが時間のムダ 220

第7章 試験別「あたりまえ化」の法則

1 試験について知る 227

① 択一式・計算科目・論文式の違い

2 択一式試験の「あたりまえ化」の法則 226

① 基本は過去問の「あたりまえ化」

② 「あたりまえ化」は選択肢の一つ一つずつ

③ 過去問の「消し方」〜「あたりまえ化」は「消す」「留める」で加速

④ 過去問題集は「項目別」問題集から始める！

⑤ 過去問題集は必ず見開きタイプを選ぶ！

⑥ 択一式試験当日の取り組み方

計算科目の「あたりまえ化」の法則 232

1 過去問よりテキストの例題
2 解答プロセスを「あたりまえ化」する
3 できる人の「下書き」を見る
4 計算科目の勉強では、講義を視聴し、言葉、イメージを補う❶
5 計算科目の勉強では、講義を視聴し、言葉、イメージを補う❷
6 計算せず、電卓を叩かず、思い出し語りまくる
7 試験当日の計算科目の取り組み方

論文式試験の「あたりまえ化」の法則 241

1 論文式試験で書く勉強をしないほうがいい理由
2 問題集・答練・模試を「あたりまえ化」する
3 問題集を「あたりまえ化」する8つのステップ
4 STEP1 問題のタイトルをつける
5 STEP2 問題のタイトルだけをただ眺める
6 STEP3 タイトルをプロッキーで大きく書く
7 STEP4 解答に2本の線を引いて3つに分ける
8 STEP5 解答に3つの見出しをつける
9 STEP6 見出しを思い出し、スラスラ語る
10 STEP7 見出しから3つのキーワードを語る
11 STEP8 いつでも・どこでも・少しでも語る
12 会場配布の「法令基準集」を事前に学んでおく
13 論文式試験当日の取り組み方

デジタルツールの活用について 252

1 紙の本は使いやすい！

おわりに 254

「結果が出る」3つのポイント

あなたのめざす結果はいつも出ている

あなたが何か飲み物や食べ物が欲しくて、コンビニに行って手に入れることはあると思います。

これも立派な「結果が出る」ことです。あなたは毎日、かなりの結果を出しているのです。試験勉強も、この延長で考えれば必ず結果は出ます。

あなたはコンビニで欲しいものを手に入れる（=結果が出る）とき、どうしていますか？　そのために外せないポイントは何でしょう？

あなたがコンビニに行こうと思い、実際に出かけて、欲しいものを手に入れる。

その間、何を考え、何をしていたのか思い出してみてください。

そこから、試験勉強で結果が出るためのポイントも見えてきます。具体的には次の3つです。

1 めざす結果＝ゴールを明確に！

まず、あなたが**めざす結果＝ゴールを設定する**ことです。

試験勉強なら、「○○試験合格」というように、手に入れたい結果は明確だと思うかもしれません。

ただ、コンビニで何か欲しいものを買うのと違って、試験合格はお金を払って手に入れられるものではありません。

あなたができるのは、**試験当日に試験会場で、「合格点を超える答案を提出する」こと**だけです。

そのために、試験当日までにどんな結果が出ている必要がありますか？

試験当日の試験会場でのあなたを思い浮かべてみてください。どんな状態なら、

「合格点を超える答案を提出する」ことができますか？　どの問題集、テキストを使っていますか？　問題集やテキストはどんな状態になっていますか？

このように「結果が出る」ためには、めざす「結果」を、きっちりと明確にしておく必要があるのです。「〇〇試験合格」というレベルではダメです。

実際、めざす結果が出ない人は、めざす「結果」を質問しても答えられません。返ってくるのは、「とにかく、試験日まで必死でがんばります！」という言葉です。

めざす結果がはっきりしなければ、当然結果も出るわけがありません。逆に、そこさえ明確になれば、それを出すことができるのです。

2 今のあなた＝現在地を明確に！

「結果が出る」ために次にやることは、**自分の現状を知る**ことです。

たとえば、知らない町で地図上にコンビニを見つけても、自分がどこにいるかがわからなければそこに向かうことはできません。

普段はあまり意識しませんが、「現在地」を知ることは非常に大事なのです。

これは試験勉強でも同じです。自分が今、どこにいるか。「現在地」が明確でないと、どこに向かうかもはっきりしません。

また、現在地がわからないまま勉強していても、間違った方向に向かっていて、ムダなことをしている可能性さえあるのです。

試験勉強における「現在地」とは、「何がわかっていて、何がわかっていないのか」「何を覚えていて、何を覚えていないのか」ということです。

このことを知るのに、答練（答案練習）や模試（模擬試験）などはもちろん効果的です。ただ、それだけでは手がかりが少なく、時期も遅すぎます。

最近、試験勉強では「アウトプット」の重要性が叫ばれています。これが重要なのは、「今のあなた＝現在地」を明らかにできるから、でもあるのです。

現在地を知るのは、自分のできていないところと向き合うことです。ただ、これは気持ちのいいものではありません。

でも、今の自分とさっさと向き合わないと、試験当日にようやく自分の現状を知るという悲しい「結果」になってしまうのです。

3 結果に直結＝報われる勉強を！

めざす結果と現在地が明確になれば、後はゴールに向かって勉強するだけ。

ここにどう向かうかがいわゆる「勉強法」ですが、結果に直結さえすれば方法は何でもいいのです。「この方法がベスト！」というものはありません。人は置かれている環境も、知識や経験、得意不得意もさまざまだからです。

でも、それは「報われる勉強法」でなければなりません。

「報われる」ため、結果が出るために、外してはならない要素が二つあります。

一つは、「❶めざす結果」と「❷現在地」を明確にすること。これらはすぐには明確になりません。勉強するなかで、だんだんと明らかになるのです。

もう一つが、「脳の原理」に沿った勉強法であることです。

試験勉強で結果を出すために

1　めざす結果＝ゴールを明確に！

試験合格
＝
本試験で合格点を超える答案を出す。

↓ そのために

どの問題集・テキストを対象にするか
どのレベルまで理解・記憶するか
どのようにして理解・記憶のレベルを測るか

「試験当日の自分」の解像度を上げる！

2　今のあなた＝現在地を明確に！

わかっている
覚えている

現在地を知る

わかってない
覚えてない

今の自分ができること／できないことの解像度を上げる

3　結果に直結＝報われる勉強を

1.めざす結果＝ゴール
2. 現在地
の両方を明確にする勉強

「脳の原理」に
沿った勉強

ゴール＆現在地の明確化＆脳のフル活用
＝勉強は報われる！

近年、スポーツの分野では、根性論や自己満足だけの「報われない」練習は減ってきています。

勉強でも、脳の研究が進んで、「報われる勉強法」と「報われない勉強法」の違いが明らかになっています。脳の働きはだれもが共通です。脳の原理に沿った「報われる」勉強をすることが必要なのです。

第1章

ゴールを明確にする法則

導入解説

「結果」を明確にする

「成果」と「結果」を区別する

これから、めざす「結果（＝ゴール）」を明確にしていくコツを紹介していきます。そのために、まず押さえておいてほしい3つの言葉があります。それは「**成果**」「**結果**」「**経過**」です。これらを区別できると、一気にあなたがめざす結果は明確になっていきます（この3つの区分、定義は「識学（意識構造学の略語。マネジメントの考え方）」の考えを参考にしています）。

似たような言葉ですが、「成果」と「結果」の違いは何でしょう？

「成果」　↓　他人からの評価など、自分のコントロールが及ばないもの。
「結果」　↓　自分のコントロールが及ぶもの。

実は、「試験合格」は「結果」ではなく「成果」です。あなたがコントロールできるのは、試験当日に提出する解答まで。また、どんな問題が出るかもわかりませんから、その出来具合もコントロールできません。

結局、あなたがコントロールできるのは、試験当日に何をどれだけ理解・記憶しているか、それだけです。

もちろんあなたが手に入れたいのは「試験合格」。この「成果」に結びつく「結果」が必要です。

でも、つい見えやすい「成果」に目がいってしまうものです。

たとえば、2023年のWBC（ワールド・ベースボール・クラシック）の大谷翔平選手の活躍を思い出してください。

日本で行われた試合では、自らが写った看板を直撃する大ホームランで、ファンのみならず、一緒に戦うチームメイトの度肝を抜きました。

この大ホームランは「成果」です。相手投手、球種など自らのコントロールが及ばないものだからです

だれもが「大谷選手のホームランがすごい」というなか、チームメイトのダルビッシュ有選手がYouTubeでこう語っていました。

「大谷くん、すごいですよ。（中略）（でも、）日々の過ごし方、どういうものを食べているのか。そこがすごいんです。そこを見なきゃダメなんですよ。でないと大谷くんには近づけない」（高木豊 YouTube チャンネル https://www.youtube.com/watch?v=9JypHHe5x4A）

地味だけれども自分で制御できる「結果」に焦点を合わせる。

勉強も、「結果」に注目し、明確にすること。これがまず重要なのです。

「がんばります」では結果は出ない

次に区別しておきたいのが「結果」と「経過」です。

私が受験生の方に、まずお聞きするのはめざす「結果」です。それに対して、よく返ってくる答えがこちらです。

「とにかく、試験当日まで一生懸命がんばります」

たしかに勉強しないと合格しません。がんばることも必要でしょう。でも、残念ながら、「がんばったから合格する」わけではありません。

「がんばる」というのは、「経過」です。

よく仕事では、「結果」だけでなく「プロセス」も評価してください！ といわれることがあります。

この「プロセス」が「経過」にあたります。たとえば、「睡眠時間を削って、3000時間も勉強したんです！」というものです。

仕事であれば、がんばりを評価されるかもしれません。しかし残念ながら、**試験勉強では、答案がすべて。経過は評価されません。**

また、その中身が把握しづらいのも、「経過」です。

「○○時間も勉強したんです！」といっても、「その勉強は、具体的に何をしてどうなったの？」というところまで、自分でコントロールできていません。

これでは、「結果」が出るかどうかは完全な運まかせとなってしまうのです。

「結果」に焦点を当て続ける

試験勉強をしていると、「本当に試験に合格できるだろうか……」といった不安、「これだけがんばっているのに進まない……」という焦りが出てきます。

ただ、これらは「成果」＝「試験合格」という自分がコントロールできないもの、「経過」＝「がんばり」という自己満足に焦点を当てているからです。

あなたが焦点を当てるのは、試験当日にめざす「結果」だけです。

- 勉強してきた問題集やテキストの内容を理解・記憶できているか。
- 択一式試験では正誤判断に必要な知識を素早く、確信を持って思い出せるか。
- 計算科目は何の問題か特定し、解答プロセスを素早く思い出し、当てはめて計算できるか。
- 記述・論述式試験では、書くために必要な知識を的確に思い出し、書けるか。

このように、「結果」に焦点を当て、明確にし続けることが大切です。これが、最終的に「試験合格」という「成果」を手に入れる秘訣なのです。

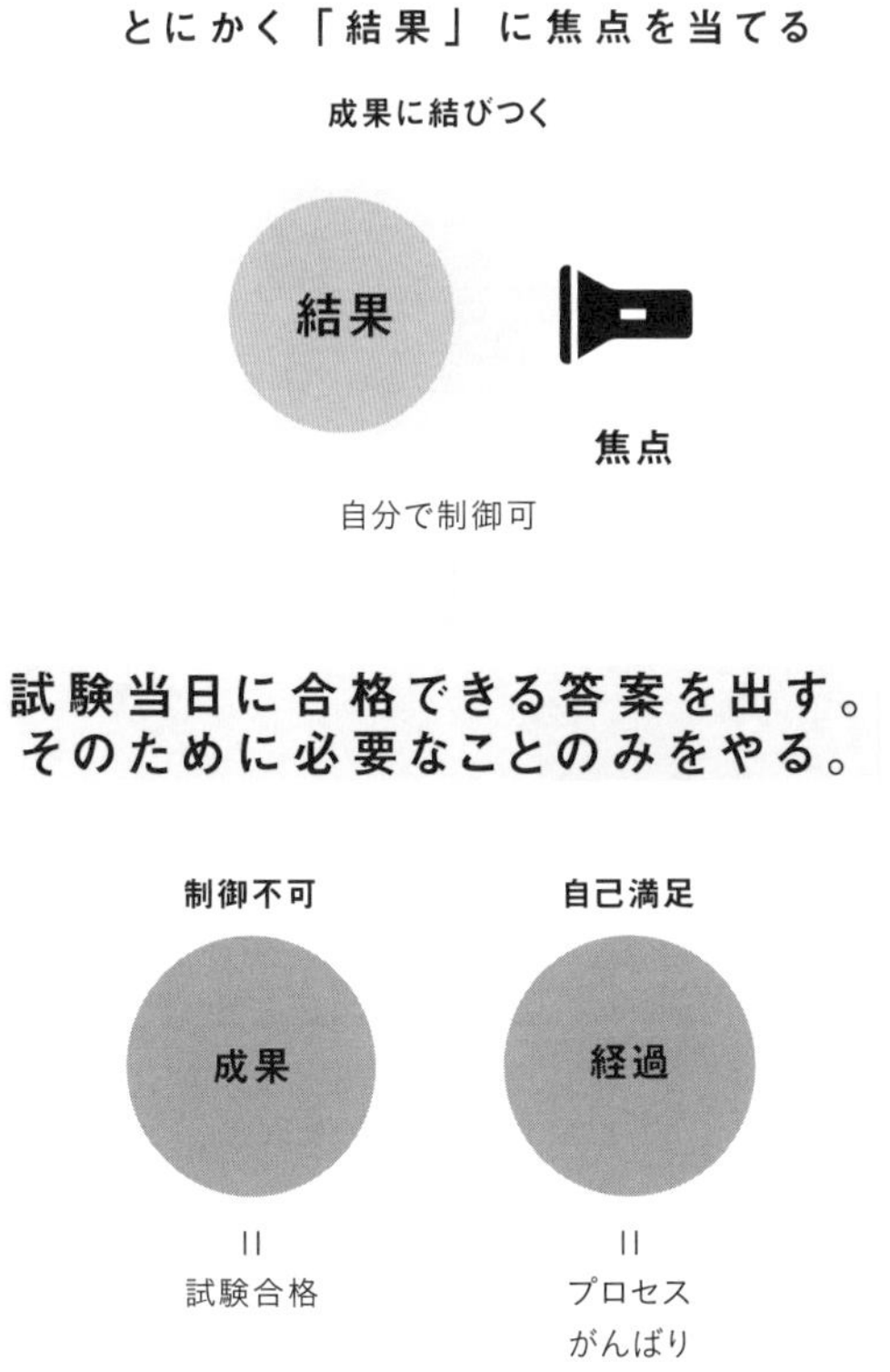
とにかく「結果」に焦点を当てる
成果に結びつく
結果
焦点
自分で制御可
試験当日に合格できる答案を出す。
そのために必要なことのみをやる。
制御不可
成果
=
試験合格
自己満足
経過
=
プロセス
がんばり

01

「この試験に合格できなかったら？」を想像する

最初に覚悟をしっかり固める

「この試験に合格できなかったら？　何を縁起でもないことを」怒り出す人もいるかもしれませんが、これを想像するのは無茶苦茶大事です。

これで、**試験勉強で最も大事な「覚悟」を固めることができる**のです。

試験に合格するための第1関門が、試験当日まで勉強を続けることです。

高いモチベーションで勉強を始めたものの、それはただの気分で長続きしない……、という人がほとんどです。

受験願書を出して受験料まで支払っても受験する人はまた絞られます。P.35の図を見てください。たとえば、公認会計士試験の短答式試験でいうと、令和5年第1回は、出願者＝1万4550人でしたが、そのうちの2割以上の3149人もの人が受験していません。

試験当日まで勉強を続け、受験する覚悟が何よりも必要なのです。

そのための特効薬が「この試験に合格できなかったらどうなるか？」を想像することなのです。さっそくやってみましょう。

1〜2年後、あなたは試験に合格できず、ダラダラと試験勉強しています。もしくはあきらめて、落ちた自分を責めながら、悲惨な人生を送っています。

こんな姿をあえて想像してみてください。絶対イヤで避けたいですよね。そうならないように必死で努力する覚悟はありますか？

あのメジャーリーガーもやっていた

導入解説でも紹介したダルビッシュ有選手は、これと同じようなことをしていたそうです。彼は、20歳のとき、こんな想像をしたといいます。

「40歳になった自分がホームレスになって、お金もない、ご飯も食べられへんっていう状況を1回、自分で想像してみたんです」

「そんな時に神様がいきなり現れて『おい、お前、20歳の時のことを覚えてるか？　あの頃に戻りたいか？　1回だけチャンスやる。その代わり、できること全部やらへんかったら、またここに戻すぞ』って言われたら、誰でも絶対戻るでしょう？」（「ダルビッシュはほぼ〝転生者〟？　20歳で想像した「全てを失う人生」。」ナガオ勝司 Number Web 2019）

あなたも「合格できなかった未来」を想像するところから始めてみましょう。

これが試験勉強を続けていく覚悟を生み出すのです。

行動＝

試験に合格できなかった悲惨な未来を想像する。五感をフルに使って、そのときの悔しい、みじめな気持ちも含めて、ありありと体験する。

最後まで受験する人は限られる

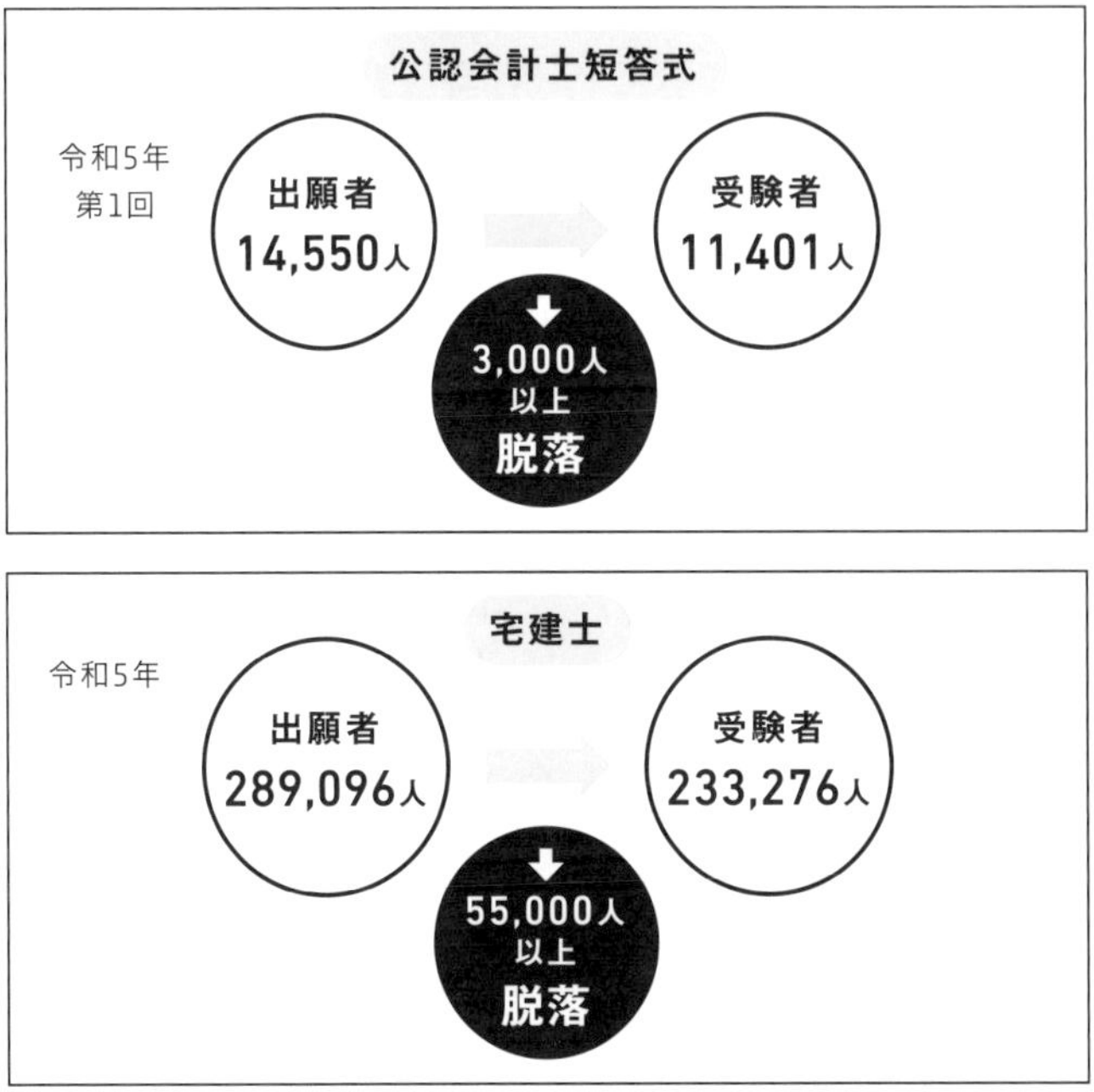

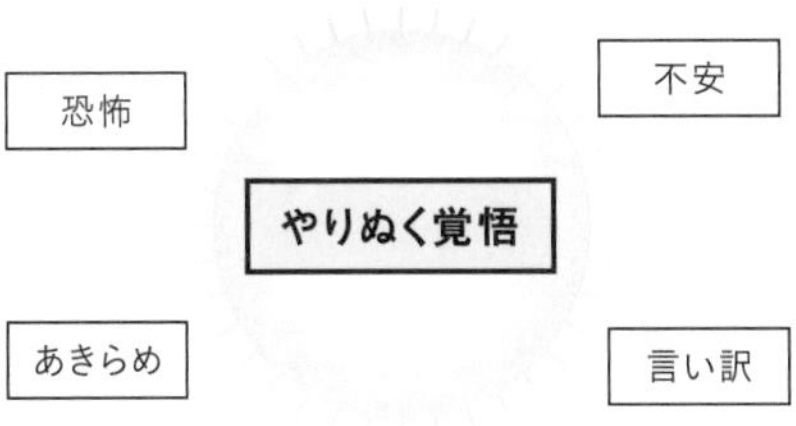

02

「この試験に合格できたらどうなるか？」を想像する

試験合格の価値を最大限に高める

試験に合格できない「悲惨な未来」を十分に味わい、「絶対そうならないぞ！」と覚悟を固めたら、次は「バラ色の未来」をしっかり描きましょう。

わざわざ「この試験に合格できたら……」なんて、想像するまでもないと思われるかもしれません。でも、ここをどれだけ突き詰められるかで、試験勉強を続けていくモチベーションには雲泥の差が出ます。

まずは、こんな質問に答えてみてください。

「もし合格したら、何が可能になるでしょう？　何をしたいですか？」

試験に合格しても、それが最終ゴールではないですよね？ さらに何をしたいですか？ どんな未来が開けますか？ その資格を使って、独立をするかもしれません。第二のキャリアを開くかもしれません。

このように、さらに自分に問いかけてみてください。

「(独立や就職などが) 実現したら、さらに何ができるか？ 何をしたいか？」

こうして、試験合格から開けていく未来を想像することで、より試験合格の価値が高まります。それは試験勉強の価値を高めることにつながるのです。

とにかく、**合格と勉強の価値を高めるだけ高めましょう**。そうすれば、目の前の1単語を覚えること、1問に取り組むことの意味を見出せます。目の前の1単語、1問の積み重ねが、未来を切り開くのです。

試験勉強の時給は4万円!?

超難関の東大理Ⅲに現役合格し、司法試験、公認会計士試験にも合格した河野玄斗さんは、試験勉強の価値を「時給4万円」と評価しました。

「1000時間勉強して将来の年収が100万円上がる場合、勉強の時給は100万円×40年÷1000時間=時給4万円になるよ。なんでみんなそんなに勉強しないの？」（『東大医学部在学中に司法試験も一発合格した僕のやっているシンプルな勉強法』河野玄斗著、KADOKAWA、2018）

目の前の時給1500円のバイトを優先して、勉強をサボっていないですか？

仕事の忙しさを理由に、勉強を後回しにしていないでしょうか？

合格できるか不安なのに、スマホでドラマを観ていませんか？

「時給4万円」かどうかはさておき、勉強をしないことで、毎時間かなりのお金を失っているならば、タイパやコスパを考える前にやるべきことがあるはずです。

手元の問題集やテキストを開けば、だれでもすぐに始められる試験勉強。これをやらない手はないでしょう。

行動＝

試験に合格したら何が可能になるか？　何をしたいか？　試験合格で開けていくあなたの未来を行けるところまで想像する。

03

「〇〇年〇月　〇〇試験合格」と、今すぐ、紙に書く

とにかく、今すぐ、書く

「目標は紙に書け！」

「紙に書けば、目標は実現する！」

「夢に日付を！」

自己啓発本の定番で、よく聞く話なので、「ハイハイ、大事ですよね」といいながら、書かずに次を読もうとしていませんか？

「だから」とはいいませんが、ここで書かないから結果が出てこないのです。

「〇〇試験合格」と書いたから合格できる、ということではないですし、そんな

に試験は甘くありません。紙に書かなくても合格する人はたくさんいます。

でも、書くことで「試験合格」に近づくことは間違いありません。

必要なのは、1枚の紙（裏紙でも構いません）とペンや鉛筆だけ。時間はほんの1分程度でしょう。書かない手はありません。とにかく、今すぐ左のスペースに書きましょう。

ここまでいってても書いていない人はいますよね。

実は、目標を紙に書くことは、メンタル的にとても大変なことなんです。

なぜなら、自分自身と真正面から向き合うことだからです。

そして、「実現したらいいなあ」という「可能性」の世界から、「実現するぞ！」という「覚悟」の世界に足を踏み入れることだからです。

「選ぶ」ことは「捨てる」こと

私は20年以上にわたって、「コーチング」という仕事をしてきました。コーチとして、人の成長や目標実現をサポートしています。

そこでたびたび行うのが、通称「腹くくり」の儀式です。

めざす目標が明確になったところで、目の前に「こちらの世界」と「あちらの世界」を分ける境界線を置きます。

畳やカーペットのへり、電源コード、ドアなど目につくもので構いません。

そしてまず、今いる「こちらの世界」を「可能性の世界」として、想像してもらうのです。ここは「できたらいいなあ」という世界です。あれもこれもできたら……という夢が広がる、ある意味、心地のいい世界です。

でも、私たちが持つ時間など、使えるものは限られています。

境界線の向こうの「あちらの世界」は「覚悟の世界」です。英語でいえば「コミットメントの世界」。そこに入るには、何かを「捨てる」ことが必要です。何かを「選ぶ」ことは、何かを「捨てる」ことだからです。

コーチングでは、境界線で仕切られた「可能性の世界」と「覚悟の世界」を想像・体験してもらい、準備ができた時点で、その境界線を踏み越えてもらいます。

つまり、**「〇〇年〇月　〇〇試験合格」と紙に書くことは、「試験合格」を選び、「覚悟の世界」に入ること**なのです。

さあ、書いて入っていきましょう！

行動＝

手元の紙に、今すぐ、「〇〇年〇月　〇〇試験合格」と書く。そして、目の前に貼り出す。

試験のことをトコトン知る
——何はともあれ「過去問」

とりあえず過去問・いきなり過去問

手に入れたい「試験合格（＝成果）」への覚悟が揺るぎないものになったところで、あなたがコントロールできる「結果」に目を向けていきましょう。

そのために必要なのが、試験当日の試験問題です。

当日にどんな問題が出るかはわかりません。これも合格と同じく、あなたが直接コントロールできるものではありません。

でも、それがどんなものか知る努力は最大限必要です。当然、相手のことを知らなければ話にならないからです。

とりあえず過去問・いきなり過去問

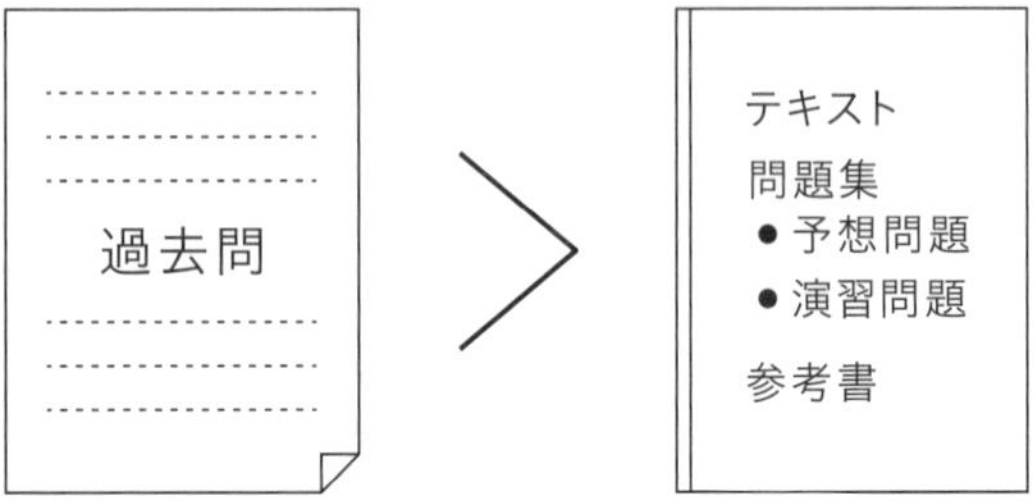

過去問が本試験に一番近いもの！　これを攻略する

あなたが試験本番に取り組む問題に最も近いものがあります。「過去問」です。過去の本試験問題そのものです。

私は勉強指導のとき、必ず、**すぐに受験する試験の過去問を読むこと**をすすめます。

もちろん、はじめはほとんど解けません。問題文の意味すらわからないかもしれません。ですから、「解く」必要もじっくり「読む」必要もありません。ただ、ざっくりでいいので、問題や解答解説に「目を通す」のです。

「こんな問題、できるようになるだろうか

……」。そんな不安を持つかもしれません。

でも、試験当日には、それと似たような問題に取り組み、その結果で合否が決まるのです。

逆にいえば、過去問と同じレベルの問題が解けるようになり、7割などの合格ラインに届けば、試験に合格できるのです。

あなたが最短で結果を出すためには、**「とりあえず過去問・いきなり過去問」**は外せないのです。

どんな手段を使っても過去問を見る

大学受験や多くの人が受ける資格試験では、必ずといっていいほど過去問題集が出版されています。しかし、大学院や社内試験、マイナーな試験にはありません。

そんな場合でも、なんとか手に入れる努力をすることをおすすめします。過去問は勉強を進めていくうえで、そのくらい大きな指針になるのです。

私が勉強指導をした方ですが、ある臨床心理系大学院をめざしていました。

当然、私がまず伝えたのが「とりあえず過去問・いきなり過去問」でした。

彼女はすぐに大学院の事務局に出かけて、過去問について聞いたのです。

すると、過去問の閲覧はできても、コピーはできませんでした。

彼女は迷うことなく、数年分の過去問を手書きですべて書き写しました。

これによって「膨大な試験範囲に途方に暮れていた」状態から、一気に「勉強すべきことが明確に」なり、試験勉強に弾みがついたのです。

そして、勉強を始めて3ヵ月。予定より1年早く、大学院に合格したのです。

行動＝

めざす試験の過去問を手に入れる。わからなくてもいいので目を通してみる

（解く必要も、できなくて落ち込む必要もなし）。

過去問は解かないで、とりあえず、ざっくり読む

さっさと解答解説を読む

「とりあえず過去問・いきなり過去問」ですから、スラスラ解けなくて当然です。スラスラ解けるなら、試験勉強は必要ありません。

とはいえ、問題を見るとつい解きたくなる人もいるかもしれません。解きたければ解いても構いません。でも、読むのに苦労したり、ウンウン考えたりするようなら、時間のムダです。

また、択一式問題などで選択肢を比べながら、まるで当てものをしているかのように、一喜一憂する人もいます。これもムダです。

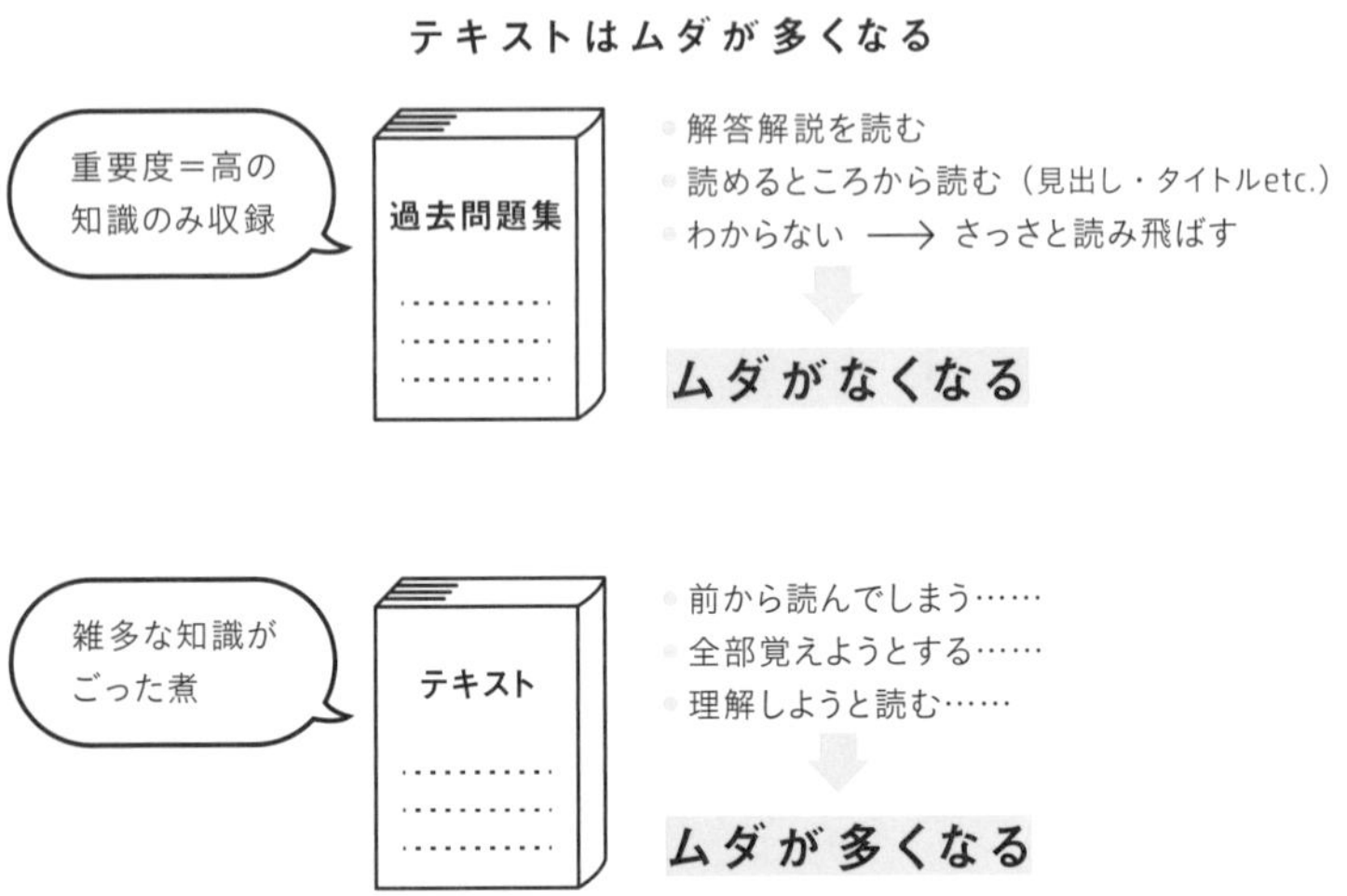
テキストはムダが多くなる
重要度＝高の
知識のみ収録
過去問題集
解答解説を読む
読めるところから読む（見出し・タイトルetc.）
わからない ⟶ さっさと読み飛ばす
ムダがなくなる
雑多な知識が
ごった煮
テキスト
前から読んでしまう……
全部覚えようとする……
理解しようと読む……
ムダが多くなる

わからなければ、さっさと読み飛ばしましょう。読みたければ、さっさと解答解説を読んでも構いません。

「解答を見てしまったら、問題集の意味がなくなる……」

心配無用です。解答解説を読んだから、すぐスラスラ解けるようになるほど、試験問題は簡単なものばかりではありません。

とにかくムダに止まったり、悩んだりする時間はなくしていきましょう。

過去問題集を読むことは、いわ

ば、重要度＝高の論点に絞ったテキストを読んでいるようなものです。

試験合格を勝ち取り、**試験当日に結果を出すためには、それに最も近い過去問にまず触れる、なじむこと**が最重要かつ効果的なのです。

見出しなど読めるところから読む

「いきなり過去問」では、知らない言葉も多く、だんだんと読む気がしなくなるかもしれません。そんなときも決してがんばって読もうとしてはいけません。

スポーツなら、キツいところからのひと踏ん張りが力をつけてくれます。しかし、知識相手の勉強ではがんばっても自己満足なだけです。がんばって読んでも、ほとんど頭に残らずスルーしてしまうのです。

詳しくは第3章（P.118）でお伝えしますが、これは脳の仕組みである「ワーキングメモリ」の限界のためです。

筋肉と脳は違うのです。

キツくなったらさっさと読み飛ばす。もしくは、見出しなど文章が短く、ラクに読みやすいところだけ読む。これが基本です。

はじめは、ざっくり読むのも精いっぱいで、ほとんど解けないかもしれません。でも、それでいいのです。今、あなたが取り組んでいるのは、あなたが試験当日に取り組む試験問題に限りなく近いものです。

あなたは勉強を始めたばかりで、もうそれに触れ始めているのです。

行動＝

過去問はがんばって解こうとか読もうとしない。読み飛ばしながら、解答解説、見出しなど、読めるところから読む。

「結果が出る読み方」（テキストも問題集も同じ）

1回目

タイトル、見出しなど
読みやすいところから

だいたいの流れやポイント、
キーワードがわかってくる

1回で記憶・理解しようとしない
非効率

2回目

1回目の蓄積があるので、
さらに読みやすくなる

流れや内容の解像度が
上がってくる

初めはわからなかったところも読めてくる

3回目以降

難解、詳細な内容が
「あたりまえ」に

回転が多いほど、
理解は一層深まる

読めば読むほど知識がつながり読みやすくなる

ざっくり、読めるところから、
速く、繰り返し読んでいこう！

06

分厚い問題集・テキストは、さっさとバラす

まだ読んでないならバラしましょう

もう、過去問題集を読み始めましたか？　え？　まだ買っていない⁉

それなら、さっさと買いましょう。お金が気になるなら、最新版ではなく1、2年前のものでもいいですよ。

とにかく、試験で実際に出た問題に触れておくことが大事です。

え？　買ったけど、まだ読んでない？　開いていない？

たしかに、過去問題集は、分厚いものが多いので、圧倒されるかもしれません。

過去問題集をバラした例

4分冊、抜き取り可能な『わかって合《う》格《か》る宅建士分野別過去問題集』（TAC出版）

ズッシリ重いので「手に取るのもちょっと……」という人もいるでしょう。

そんな人は今すぐ、カッターを持ってきてください。その問題集の前半が問題編、後半が解答解説編になっていれば、まずはそこを切り分けましょう。そうでなければ、半分のところで切りましょう。私のようにズボラな人間は、手でバラしますし、今では分冊式のものも売っています。

つまり、**過去問題集をバラして薄くしてしまうのです。**

薄くなった過去問題集は、手に取

りやすく、開きやすくなったでしょう。

ムダは削《そ》ぎ、勉強用に最適化する

とはいえ、まだ、本をバラすことに抵抗がある人もいるかもしれません。

これもまた「学校の勉強」の呪縛です。

「本は大切に」「教科書はキレイに使いましょう」

たしかにこうするに越したことはありません。図書館の本など、公共のものなら必須でしょう。

でも試験勉強の本は、あなただけの本、使い倒すためのものです。

問題集は大切にしたけれど、試験には落ちた。これでは本末転倒です。

とにかく、あなたが試験合格するためには、問題集やテキストが最高の道具になるよう徹底的に読みやすいよう、解きやすいように最適化しましょう。

なお、バラして薄くするのは、止まるムダをなくすためでもあります。

そのほか、カバーはもちろん、表紙や裏表紙などもさっさと取り外しましょう。本の最初と最後についている試験の紹介や予備校の宣伝も同じです。

とにかく、0・1秒たりともムダなく、試験問題を読めるように加工するのです。

また、表紙や裏表紙などを外したら、表に問題集やテキストの目次を貼っておくのがおすすめです。

こうすれば、勉強しようと思わなくても、試験の全体像が勝手に目に入ります。つまり、すぐに勉強できるのです。がんばる前にできることはたくさんあります。

はじめは、読むのもざっくり、やっとで、ほとんど解けないかもしれません。でも、それでいいのです。**あなたが試験当日に取り組む問題に限りなく近いものに少しでも触れましょう。**

行動⑪
問題集やテキストを買ったら、カバーと表紙を取り外し、バラして薄くする。
さらに表には目次を貼る。

07

勉強時間ではなく、過去問を「つぶす」ことが目標

時間・がんばりは結果と関係ありません

司法試験に合格するには8000時間、公認会計士なら4000時間、税理士なら3000時間の勉強が必要です……。

このように、資格試験であれば、合格にどれくらいの勉強時間が必要なのかを予備校などが出してくれています。これらはたしかに目安になります。

でも、それ以上でも以下でもありません。同じ1時間でも人によってその質は違うからです。

また、試験勉強を始めるときに、どれだけの知識・経験を持っているかや、論

理的思考や文章を読む力などによっても変わります。

ただ、わかりやすく計りやすいので、つい時間に目が向きがちです。


さらには、「がんばり」という試験への努力具合に注目しがちです。

これも「これだけがんばったんだから」という、試験本番での自信につながるプラス効果があることは事実でしょう。でも、試験合格に直結しません。

自分自身が感じることですから、ついこれにも注意が向きがちです。

実際、私が受験生の方からよく聞く言葉がこちらです。

「あれだけがんばったのに……（合格できなかった）」

勉強時間やがんばりは試験合格に直結しません。

何度もいいますが、あなたが注目すべきは「結果」です。「成果」でも「経過」でもないのです。では、試験勉強においてあなたが試験当日までにめざす「結果」とは何でしょうか？

試験直前、「過去問」で合格点を超えられますか？

それは**過去問を「つぶす」ことです**。

試験直前、過去問をやって合格点を超えなかったら、合格できると思いますか？

もちろん、試験問題は毎回変わり、問題との相性もあります。当日のあなたのコンディションも大きく影響するでしょう。

でもまず、試験本番までにあなたが最低限めざすのは、**「過去問」を解けるようになることです。さらには過去問を「つぶす」ことです。単に「解ける」ではありません。「つぶす」のです。**

では、「つぶす」とは具体的には何でしょうか？

詳しくは第1章08で解説しますが、過去問で問われたほとんどの内容について、「こんなこと聞くなよ！」「これは常識、あたりまえでしょ」という状態になることです。

私はこれを「あたりまえ化」と呼んでいます。

「あたりまえ化」したところは、「勉強する必要がない」「目を通す必要がない」ので、その部分に×印をつけたり、ホッチキス留めして、まだ「あたりまえ化」していないところに集中して勉強します。

そして、過去問をすべて「あたりまえ化」する、つぶすのです。

「あれだけの過去問をすべてつぶしたから……」

少なくとも、こういえるようになりましょう。

行動＝

勉強時間やがんばりに注目しない。過去問が「あたりまえ化」、つぶせるようになっているかに注目する。

08

めざす結果は「あたりまえ化」

試験本番は時間・プレッシャーとの戦い

「まだ、1問も解けていない……」

公認会計士・短答式試験の2科目目の「管理会計論」。1時間の試験時間のうち30分過ぎたときの、私です。

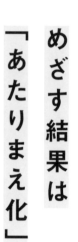

ふつうは、理論問題は最初の15分で終わり、残り45分を使って計算問題8問中、少なくとも4問は解かないと合格ラインには届きません。しかし、問題の読み間違いから、30分経っても計算問題を1問も解けていなかったのです。

「もうダメだ」とあきらめかけましたが、なんとか踏みとどまり、次の2問はサクサクと解答できました。

3問目の途中でタイムオーバーとなったものの、たまたまのラッキーもあって、合格することができました。でも、冷や汗どころか大汗ものでした。


こんなふうに、試験本番は、時間とプレッシャーとの戦いになります。

普段の勉強ではラクラク解けていた問題も、焦りから思わぬミスをしたり、わからなくなってしまうこともよくあります。

そうならないためには、単に「解ける」ようになるだけでは不十分なのです。

スピードが理解・記憶のバロメータ

試験当日までにめざすのは、「こんなこと聞くなよ！」「これは常識、あたりまえでしょ」という状態です。

同じ問題を「解ける」にしても、何かの知識を「わかった」「覚えた」にしても、そのレベルにはかなりの幅があります。

「あたりまえ化」はスピードが命

どれくらい素早く、

必要な知識を思い出せるか？

どれくらいスラスラと、

解答するプロセスを説明できる（語れる）か？

その問題を文字通り、

「瞬殺」できるか？

ウンウンと考えて、「たしかこれは……」となってから、「おそらくこれだ」と思い出して「解ける」のもあります。

しかし、この状態では、試験本番の時間の制約、プレッシャーのなかでは、得点に結びつかない危険性があるのです。

単に「解ける」「わかる」「覚えている」で判断してはいけません。

どれぐらいそれが深く身についているのかを、常に意識しながら、**「あたりまえ化」**をめざすのです。そのためのバロメータになるのが「スピード」です。

常に、**スピードを意識しつつ、「あたりまえ化」をめざす**のです。

私の会計士合格も、プレッシャーのなかでサクサク解けた2問が効いたのです。

行動＝　常に、思い出す、説明する、解くスピードを自覚する。「あたりまえ化」に持っていく。

09

「計画」を立てるより、「過去問」を繰り返し読む

「計画」を立てるより繰り返す

「とりあえず過去問・いきなり過去問」

繰り返しいわれても、「まずは計画でしょ」と思っている方はいませんか？

多くの勉強本では最初に「勉強計画の立て方」が書かれています。

しかし、第1章の導入解説で説明した「成果」「結果」「経過」でいうと、ほとんどの「計画」なるものは、「経過」の話です。

繰り返しになりますが、大事なのは、何よりあなたがめざす「結果」です。

そこが明確でないのに、1日何時間勉強するだの、どの問題集をいつまでにや

るだのと考えたところで、まさに「机上の空論」です。

もちろん、数年におよぶ長丁場となる超難関試験では、中間目標などの「計画」は必須です。それでも、「結果」が明確でないと、「計画」は立てられません。

過去問を読んで、まずはめざす「結果」を明らかにしましょう。その後に、「結果」と自分の「現状」とのギャップを埋めていくのです（第2章参照）。

「結果」を出すためには、とにかく「過去問」を読むこと、解くことです。**合格に結びつく、過去問を繰り返し読みまくり、解きまくりましょう。**

試験別の突っ込んだノウハウは第7章にまとめました。参考にしてください。

「試験」は現場で起きている

「事件は会議室で起きてるんじゃない、現場で起きてるんだ」

少し古いですが、映画『踊る大捜査線 THE MOVIE 湾岸署史上最悪の3日間！』（1998年）で主演の織田裕二さんが上司に叫んだ名ゼリフです。

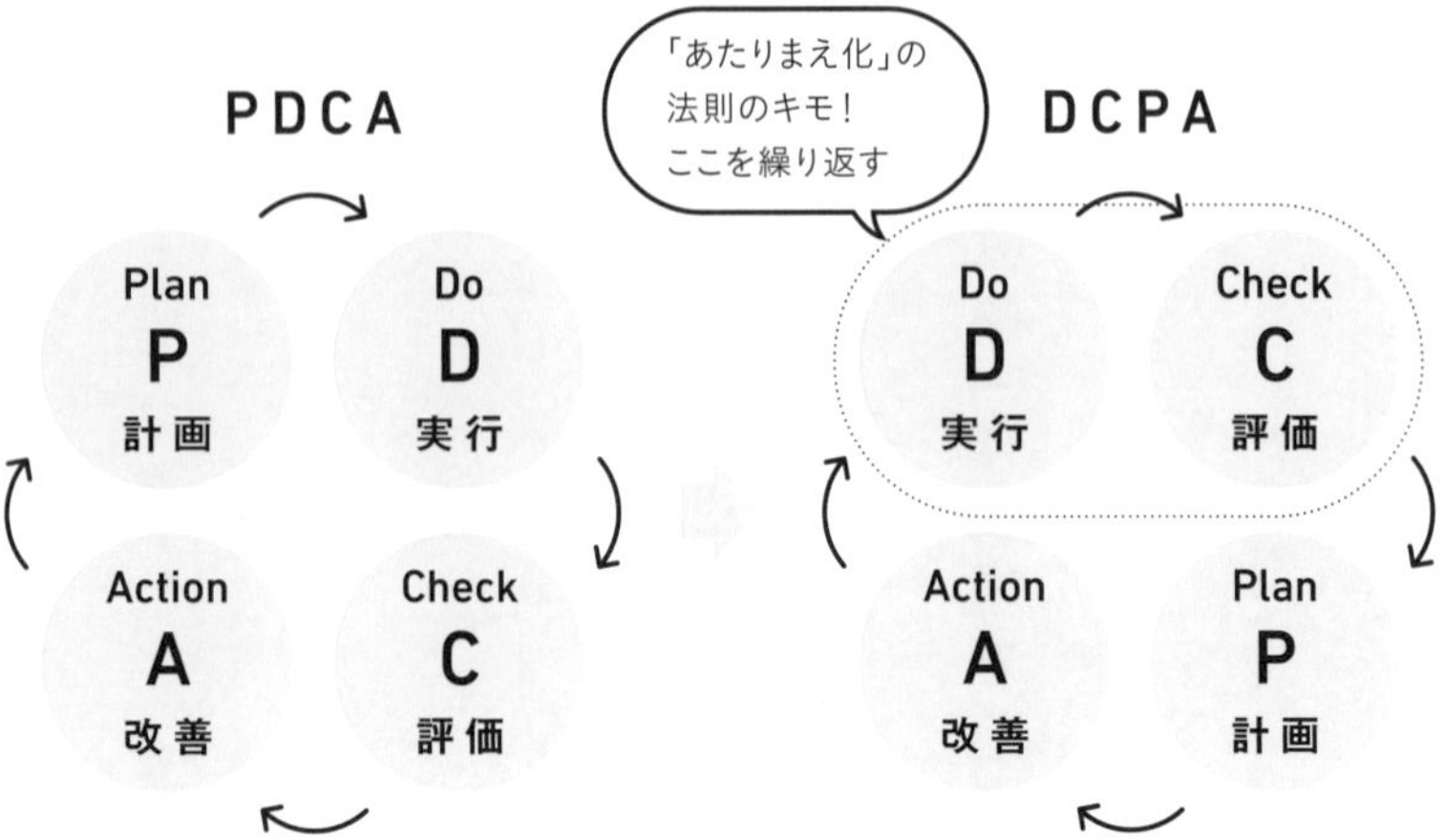
PDCA
Plan
P
計画
Do
D
実行
Check
C
評価
Action
A
改善
「あたりまえ化」の
法則のキモ！
ここを繰り返す
DCPA
Do
D
実行
Check
C
評価
Plan
P
計画
Action
A
改善

「あたりまえ化」の法則ではDCを徹底する！

試験勉強での「現場」といえば、もう「過去問」しかありません。

そこから離れて、「計画」を考えたところで何の意味もありません。

また、ビジネスの現場でも、「計画」の位置づけが見直されています。

業務改善の定番フレームワークの「PDCA」。これは、Plan（計画）・Do（実行）・Check（測定・評価）・Action（対策・改善）を回していくというものです。

変化の激しい現代では、計画を立てたそばから状況が変わり、後手に回ってしまうようになりました。

代わっていわれ始めたのが、「DCPA」です。D（実行）が最初にきて、P（計画）が3番目になっています。試行回数を増やしてトライアンドエラーを重ねながら成功確率を高めていこうとするものです

まずは**「Do」（実行）から始めること。これが試験合格には必要です。**

とりあえず「計画」なんて、のん気なことをしている場合ではないのです。

そして、「Check」（評価）で現状と向き合う。この「D」と「C」を繰り返すのです。

行動＝

「計画」を立てる前に、過去問に取り組む。これが「めざす結果」を明確にしてくれる。そのうえで、中間目標を立てていこう。

10

試験当日に、範囲が塗りつぶされた状態をめざす

試験当日にピークを持っていく

試験勉強をしていると、思うように進まずに落ち込んだり、逆にスラスラと解けて安心したりすることもあるでしょう。

ただ、大事なのは試験当日の状態です。今、理解・記憶できていなくても大丈夫です。試験当日に理解・記憶できていて、問題を解ければいいのです。

逆に、今、覚えているからといって、安心してはいけません。

人は忘れる生き物です。多かれ少なかれ、何もしなければ記憶は薄れます。

スポーツ選手が大事な大会当日に状態をピークに持っていくように、とにかく

試験当日を意識することです。一喜一憂せず、勉強しましょう。

そして、**試験の各科目と各分野の理解・記憶の進捗を揃えつつ、全範囲で試験当日にピークを持っていく**のです。

そのために、あなたにぜひ持ってもらいたいイメージがあります。

つぶして、狭めて、さらにつぶす

それは、四角（丸でもいいですが）の枠内が黒く塗りつぶされたイメージです。

以前、福岡で、私の勉強講座に司法試験受験生の方が参加されました。

その方は法科大学院を卒業したものの、何年も合格できず、あきらめかけていました。そのとき出会ったのが、私の『合格（ウカ）る技術』（小著、すばる舎、2011）だったそうです。

そして、もう一度チャレンジしようと私の講座を受講し、その年の司法試験に見事合格されました。

その方は、試験に合格できた要因について、こう語ってくれました。

「試験勉強が四角を塗りつぶすイメージに変わったことです」

それまでは勉強というと、少しずつ新しいことを学んで広げていくイメージでしたが、私の勉強法を学んで、試験勉強はそうではないと気づいたそうです。

「四角」とは、過去問と向き合うことで明らかになっていく、試験当日に「あたりまえ化」する必要がある範囲です。

試験勉強とは、その範囲をひたすら塗り「つぶ」していくこと。つまり、「あたりまえ化」して、どんどん勉強範囲を狭めていく作業なのです。

広げるのではなく、つぶして、狭める。さらにつぶし続けていく。

このイメージを持って、勉強していきましょう。

行動＝

「四角を塗りつぶすイメージ」を常に持ってそこをめざす。つぶす範囲＝四角と、塗りつぶし具合を常にチェックしていく。

まとめ

目標が明確になれば勉強は加速する

太陽の光を虫眼鏡で一点に集めると、紙を焦がすことができます。同じように、注意を試験勉強だけに絞ることができれば、とてつもない力が生まれます。

ただ、あなたの周りにはスマホをはじめ、あまたの強い誘惑が待ち構えています。それらにあっという間に注意は持っていかれてしまいます。

「明確さ」は力である

そうならないためにも、あなたがめざす「結果」＝ゴールが具体的・明確であることが大事なのです。

「明確さ」は力です。目標が明確であればあるほど、集中しやすくなり、迷いはなくなります。そこには圧倒的な力が生まれます。

試験勉強は、自分でコントロールできる「結果」に注目しましょう。

これが第一歩です。つまり、「過去問」に集中し、最も本番に近い材料と向き合い、目標をはっきりさせていくことです。

そうすると、あなたの集中力は高まり、試験勉強は加速し、合格が近づくのです。

目標が明確になるから、現状が明確になる

目標が明確になれば、あなたの「現状」もわかります。目標と現状のギャップがわかり、あなたがやるべきことが自ずと見えてきます。

現状がわかると、目標がさらに明確になるという相乗効果も起こります。

第2章では、今の自分の見つめ方について解説していきます。

第2章

今の自分を明確に見つめる法則

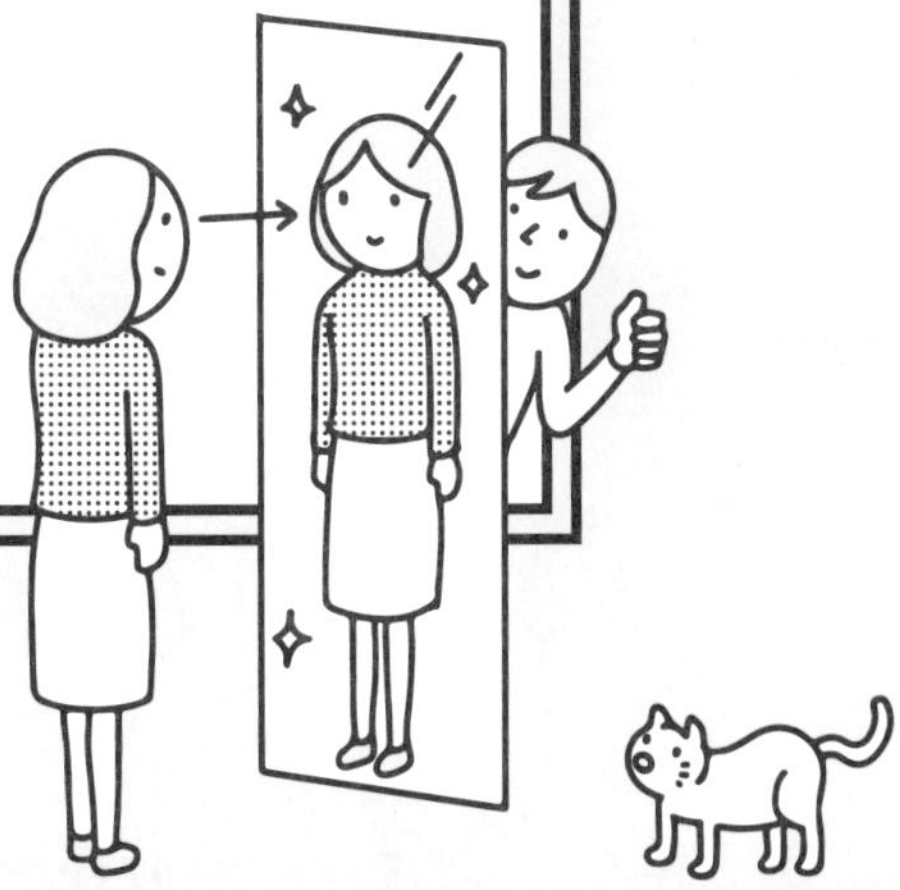

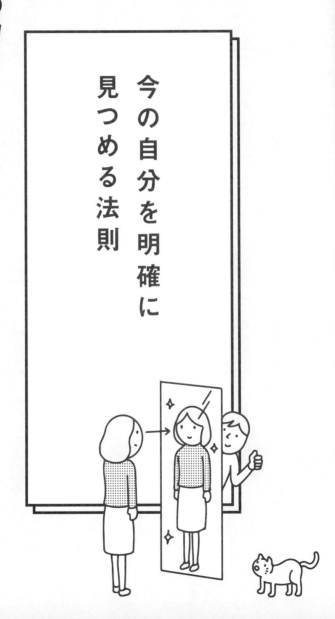

導入解説

二つの「ズレ」に気づく

「めざす結果」と「今の結果」のズレ

「めざす結果」が明確になれば、後はひたすらそこに向かって勉強すればいい、と思うかもしれませんが、そこまで試験勉強は単純ではありません。

あなたが使える時間もエネルギーも限られているからです。

できるだけ、ムダなく、効果的に勉強を進めるためには、もう一つ明らかにしたいものがあります。

それは、あなたの今＝現在地、つまり「現状」です。

たとえば、あなたがサッカーのシュート練習をしているとしましょう。目の前にサッカーのゴールがあります。ボールをそこに入れればいいわけですから、「めざす結果」は、ゴールで明確です。

でも、あなたが蹴ったボールがどこに飛んだかが見えなければ？　ただ、ゴールが入ったかどうかだけを知らされるとしたら？

これでは、何をどう修正するかは手探りです。現状がわからないので、「めざす結果」に近づくためには、非効率です。

これは極端な例ですが、**あなたの現状とは「今の結果」のことです。ここが明確になることで、勉強は効率的・効果的になる**のです。

「何がわからないか」を明確にする

「現状なんて、問題集に取り組めば、すぐに明確になるじゃないですか」

そういわれる人もいるでしょう。

その通りです。なので、さっさと過去問や問題集に取り組む必要があるのです。

ただ、現状（＝今の結果）を明確にするのは、単に問題ができる、できないのレベルではありません。

それでは粗いので、勉強にムダが多くなり、進みも遅くなってしまいます。

もっと、解像度を上げていく必要があります。

具体的には、**「何がわかっているのか・わかっていないのか」「何を覚えているのか・覚えていないのか」を、できるだけ細かく明確にする**のです。

さらに、第1章で解説したように、単に「わかっている」「覚えている」だけでは間に合いません。

めざすは、「あたりまえ化」ですから、そこに至るまでの深いレベルで今の自分の位置を明らかにする必要があります。

逆にいえば、ここまでくれば、勉強する対象は明確になります。それを勉強すれば、「めざす結果」と「今の結果」のズレは埋まっていくのです。

「主観」と「客観」のズレ

これに加えて、もう一つ、なかなか気づかないズレがあります。

それは「主観」と「客観」のズレです。

「わかった〝つもり〟」「覚えた〝つもり〟」のことです。

たとえば、本書の軸は『序章：「結果が出る」3つのポイント』ですが、あなたはこれを今、語れますか？

スラスラと語れた人もいるでしょう。でも、すぐに出てこなかったり、二つめまでは語れても、3つめが出なかったりした人が多いのではないのでしょうか。

自分では「わかった」「覚えた」と思っていても、実際に説明しようとすると、思い出せない、説明できない。これが「主観（＝自己評価）」と「客観（＝事実）」のズレです。

試験本番でもこれがよく起こります。

このズレを本番でできるだけ起こさないようにすることが重要なのです。

「主観」と「客観」のズレは、細かく分けるともう一つあります。それは「自己評価」と、採点する相手側の「他者評価」とのズレです。択一式試験なら、このズレはほとんど出ませんが、記述式、論文式試験では、このズレは要注意です。

具体的には、他者＝相手（出題者・採点者）の立場に立って、問題の読み方、解答の書き方のズレをなくし、独りよがりの解答にならないようにすることです。

「めざす結果」と「今の結果」、「主観（＝自己評価）」と「客観（＝事実・相手）」。この二つのズレに注意していくうちに、今の現状を見る解像度が上がります。現状とめざす結果も明確になり、やるべきことがはっきり見えてくるのです。

今の自分をしっかりと見つめることは非常に大変です。でも今の自分、そしてめざす結果とのギャップと向き合えば、やるべきことがわかり、確実に実力はついてきます。自分が大きく変わることを実感できるはずです。

二つのズレにいち早く気づく!

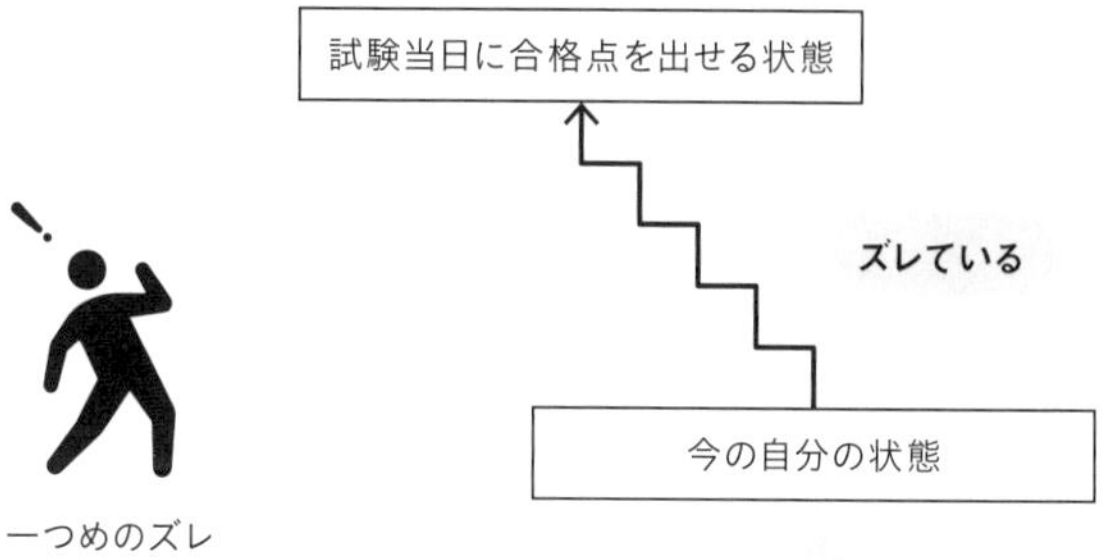

何がわかっていないか。勉強することが明らかに!

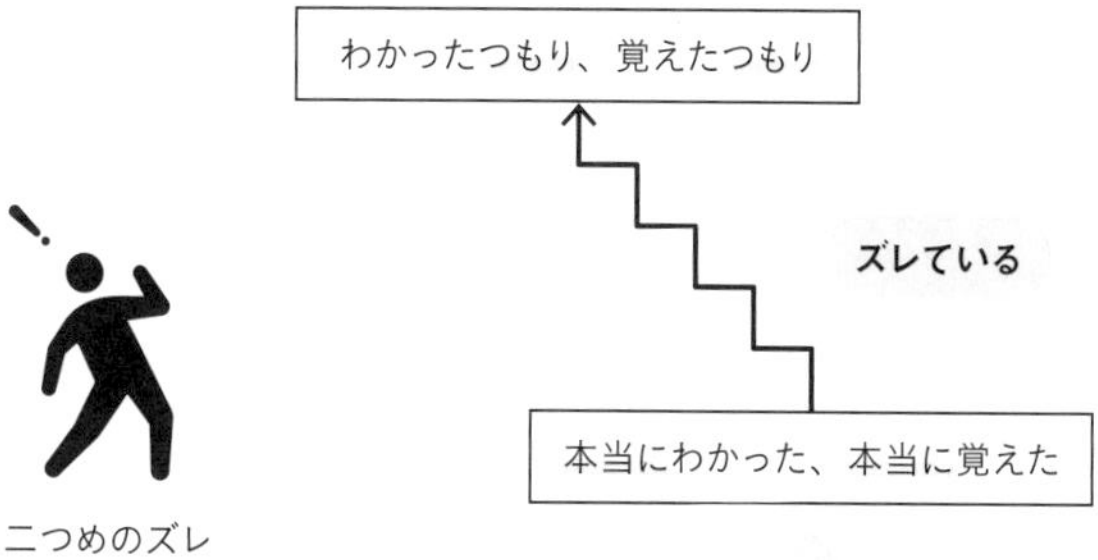

深くしっかり理解・記憶しているか。
知識レベルが明らかに!

01

今、読んだ・聞いた内容を、すぐに口に出してみる

人はすぐに忘れはじめる

あなたは資格試験予備校の講義を1時間ほど受けました。とてもおもしろい講義で最後まで集中できました。

「よし、この講義は頭に入ったぞ！　完璧だ！」

あなたはそう思うかもしれません。ただ残念ながら、それは幻想で錯覚です。

この状態では、自分の「今」を正確に把握できているとはいえないのです。

その証拠に、1時間の講義の後、学んだことをすぐ口に出してみてください。

あなたはどこまで語れるでしょうか？

エビングハウスの忘却曲線

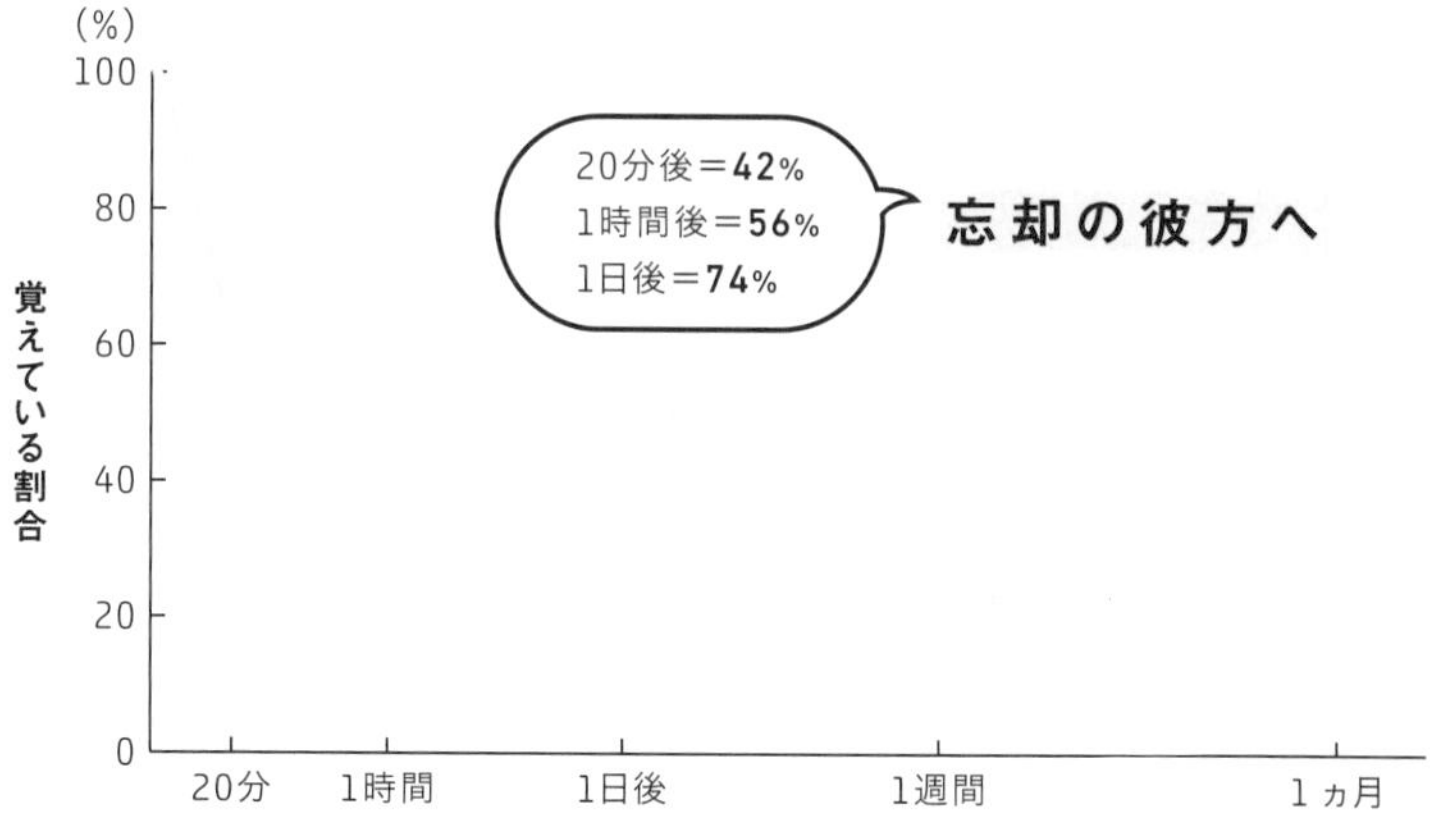
(%)
100
80
60
40
20
0
覚えている割合
20分後＝42%
1時間後＝56%
1日後＝74%
忘却の彼方へ
20分
1時間
1日後
1週間
1ヵ月

おそらく、「あれ？　何だっけ？」とびっくりするでしょう。自分で思っていたほど語れないからです。

なぜなら、人はすぐにあっさり忘れていくからです。

記憶に関する最初の研究で今もよく引用される「エビングハウスの忘却曲線」というものがあります。

これは、無意味な単語のつづりを対象に、再度記憶するための時間がどれだけ節約できるか。これで、「忘れる」程度を測定したものです。

この研究結果によると、20分後には42%、1時間後には56%、1日後には74％を忘れてしまう結果になっています。

意味ある知識を対象にする試験勉強には、そのまま当てはまるものではありません。でも、これくらい、**人は急速に忘れていくのです。**

実は、そもそも覚えていない

さらに、その後の記憶の研究から、人は忘れるどころか、覚えているようで実はちゃんと覚えていないこともわかっています。

記憶は「**短期記憶**」と「**長期記憶**」に分かれており、そのとき覚えていた（短期記憶）からといって、ずっと覚えている（長期記憶）とは限らないのです。

さらに研究が進んで、「短期記憶」は**「ワーキングメモリ」（作業記憶）**と呼ばれるようになっています。

この記憶を使えば一瞬で記憶できます。しかし、その容量は限られ、新しい情報が入ってくると、それまでの情報は押し出されて忘れてしまうのです。

そのときは「覚えた！」というたしかな感覚はあっても、すぐに消え去るはかない記憶が「ワーキングメモリ」なのです。

あなたの現状を明確に知るためには、この「ワーキングメモリ」の性質を押さえましょう。そして、「覚えたつもり」をなくしていかないといけません。

そのために**必要なのは、口に出すこと。これであなたの現状はすぐわかります。**

行動＝問題集やテキストに取り組んだり、講義を受講したりしたら、すぐに学んだ内容を口に出してみよう。

02

「わかっているか」は、さっさと口に出してテストする

模試・答練を待つ必要はない

勉強を進めるなかで、自分がどれだけわかっているのか、どれだけ覚えているのか、なんとなく不安を感じたことはあるでしょう。

そのとき、あなたはどうしましたか?

そんな気持ちを抱えたまま、「まあ、大丈夫だろう」「とにかくやらなければ間に合わない」といい聞かせ、ごまかして進めていたかもしれません。

また、自分がどこまでできるかは、模試や答練で確認すればいいと思っていたかもしれません。

そんなふうに、自分の現状と向き合うことを避け、先送りしていては、効果的な勉強はできません。いつまで経っても実力はつきません。

模試や答練などを待たなくても、あなたがどれだけわかっていて、覚えているかをテストすることはすぐにできます。

ただ、口に出してみる。それだけです。

「もしかして、本当は○○についてわかっていないかも……」
「□□について、もうあまり覚えていないかも……」

と思ったら、ちょっとキツいですが、○○や□□について、今すぐ口に出して語って、説明してみるのです。

日々、結果を出し続けるから、結果が出る

○○や□□を何も見ずに説明しようとすれば、それについてどれだけわかっているか、覚えているかは、すぐにはっきりします。

毎日、口に出しまくる!

いつでも実力を確認
試験に慣れてくる

実力の把握ができない
試験は怖いまま

これが、あなたが試験当日にめざす目標に対する、「現状」です。

もちろん、まだギャップはあるでしょうし、そこと向き合うのはキツイでしょう。

ただ、ギャップが明確になれば、後はそれを埋めるだけです。

このように、**日々、自分の現状と向き合い、結果を出し続けていけば、試験本番もこの延長にすぎなくなります。**

毎日、口に出してテスト続ければ、試験本番も当然結果が出るのです。

「なかなか結果が出ない……」と、

悔しい思いをしている人のほとんどは、こうしたことをそもそも行っていないのです。

必要なのは口に出すこと。これだけで現状、めざす目標とのギャップはすぐわかります。

できていること、できていないことを、少しずつコツコツ確認していけば、必ずあなたの望む結果が出るようになります。

行動＝

「わかっているかな？」「覚えているかな？」と思ったら、すかさず口に出して説明する。

03

わからないところを見つける

「わかろう」とがんばらない

勉強を始めると、「わからない」ところにぶち当たります。

最初からわかるなら、勉強の必要はありません。「わからない」ところがあって当然です。

でも、その状態は気持ち悪いですよね。

だからつい、がんばって「わかろう」としてしまいます。もしくは、「わからない」と「もうダメだ……」と投げ出してしまいます。

後者はともかく、前者もダメです。どちらも「わからない」ところにとらわれ、報われない努力をしている危険があるからです。

「わからない」ところは、とりあえず飛ばす、が正解です。といっても、「わからない」まま、あきらめるわけではありませんよ。

第3章で詳しく解説しますが、脳の仕組みに基づいた、報われる勉強としては、これが最も効果的なのです。

「わからない」が「わかる」が第一歩

注意したいのは、「ああ、こんなの全然わからない」とネガティブになって飛ばすのではないことです。

「よし、ここがわからないぞ！」「わからないのはここなんだ！」

こんなふうに**ポジティブに「わからない」ことを受け容れるのです。**

そして、「わからない」ところを把握して、切り分けながら飛ばすのです。

「わからない」ところは何かが「わかる」ことが大切なのです。

これは「わかる」ための非常に重要な一歩です。

何が「わからない」のかはっきりしないまま、「わかろう」としても、泥沼にハマります。

あなたはこんな経験がありませんか？

わからない箇所にある用語をネットやテキストで検索したり、調べるうちに、あっという間に時が過ぎてしまった……。少し知識は増えたものの、結局、混乱してしまった……。

こうならないためにも、「わからない」ところは確認しつつ、元気よく飛ばしていきましょう。飛ばすことは、立ち止まらないということです。止まらず、読み続ける間に、あなたの現状を知るための材料もたくさん集まってくるのです。

行動＝

「わからない」ところは確認しつつも、元気よく飛ばして進む。「わかろう」としない。

「全然わからない……」は禁句にする

脳は常にラクをしたがる

「わからない」ところをできるだけ明らかにするために、決して使ってはいけない言葉があります。

「**全然〜できない**」とか「**まったく〜できない**」といった全否定する言葉です。でも、これってついいってしまうのです。私もしょっちゅう口にしてしまいます。

私たちの脳は、これらの言葉が大好きだからです。

「全然わからない……」「まったく覚えられない……」

こういってしまえば、その後考える必要がなくなります。つまり、脳がラクをできるのです。脳にとって魔法の言葉なわけです。

しかし、試験勉強で、試験当日に解答用紙に答えを書くことをめざすためには、これほど危険な言葉はありません。考えなくなり、前に進めなくなるからです。

とはいえ、脳が好む言葉ですから、「絶対ダメ！」とやめるのは大変です。

大事なのは、いってしまった後に、「お、またいってるな」と自覚することです。そして、気づいたら、すかさず次の言葉を投げましょう。

「ほんの少しでも、わかっていることは？」

「**ほんの少しでも**」「**ほんのちょっとだけでも**」

こういって「わかった」「覚えた」のハードルを徹底的に下げていくのです。

「もちろん、見出しやキーワードぐらいは思い浮かびますが」

「何が問われているかぐらいはわかりましたが」

ハードルを下げれば、ほんの少しは前向きな言葉が出てくるものです。

どんなちょっとしたことでも構いません。それは間違いなく、大きな前進ですから、しっかり認めましょう。

さらに投げかけてもらいたい言葉がこちらです。

「**ほかには？**」

記憶はつながりです。一つ言葉に出すと、それに紐づいた言葉が芋づる式に思い出されてくることもよくあります。

その結果、わかっていること、覚えていることに気がつくものです。

ちょっとした言葉の使い方で、あなたの試験勉強の質は変わるのです。

行動＝

「全然〜わからない」「まったく〜覚えていない」をいったら、すかさず、「ほんの少しでも」と問いかける。

05

「試験勉強」だから、とにかく「試験」をしまくる

本番に備えた実戦練習が必要

スポーツの世界では、走り込みや体力トレーニングなどのほかに、実戦形式の練習をしますよね。さらに練習試合も行います。

それに対して、試験、そして日々の勉強はどうでしょう？

模擬試験や答練以外に、どれだけ実戦（＝試験）をしてきましたか？

試験勉強では、日々の勉強こそが本番で、試験はその出来具合を確認する場くらいにしか捉えられていません。しかし、試験こそが本番です。勉強はその本番に備えた練習です。当然ながら実戦形式の練習が必要です。

スポーツと同じく、実戦を想定した練習をしないと、本番で勝てません。

日々の勉強で、実戦形式の練習（＝試験）を取り入れていくことが必要なのです。

試験（＝思い出すこと）は最も効果の高い勉強

実は「試験」こそ、最も効果の高い「勉強」なのです。

最近の認知科学の研究ではこのことが実証されています。

「もとの学習教材を見直すより、過去に学んだことを記憶から呼び出す想起練習をするほうが、はるかに記憶が定着しやすいことがわかっている」（『使える脳の鍛え方―成功する学習の科学』ピーター・ブラウン、ヘンリー・ローディガー、マーク・マクダニエル著、依田卓巳訳、ＮＴＴ出版、２０１６）のです。

私の勉強法の土台はＫＴＫ（高速大量回転）法という速読法です。ＫＴＫ、高速大量回転とは、本をできるだけ早く、何度も読み返すというシンプルなやり方です。これは、その名の通り、「回転」＝「繰り返し」を強調しています（詳しくは『どんな本でも大量に読める「速読」の本』小著、だいわ文庫、２０１４）。

このとき、ただ繰り返すだけではダメです。「思い出す」ことをしてください。私はもともと「思い出す」を無意識に行っていました。でも、その重要性をはっきり認識していませんでした。

それに気づかせてくれたのが、社労士試験に合格されたKさんでした。Kさんに合格の秘訣をお聞きしたら、「思い出す」を挙げられたのです。

「回転すればするほど理解が深まると言われますが、頭ではわかっていても、なかなかスピードが上がりませんでした。（中略）そこから抜け出せたのは『思い出す』ことをするようになってからです。思い出して、『ここがわかっていなかった』というのを意識するようになってから、読む質が上がり、だんだん読むスピードも速くなってきました」（『合格（ウカ）る思考』小著、すばる舎、2014）

試験（＝思い出す）こそが、最高の勉強法なのです。

行動＝

試験勉強では「試験」こそが本番であり、日々の勉強でもできるだけ「試験」＝「思い出す」をする。

「思い出す」ができたら、次に「語る」

「思い出せる」だけで安心しない

「思い出す」ことは、自分の現状を知る最も簡単な手段です。

ですが、単に「思い出す」だけでは、本当の現状を知ることはできません。

というのも、脳はいろいろな手がかりを使って「思い出す」からです。つまり、試験勉強で使った過去問題集では思い出せても、試験本番で思い出せるとは限らないのです。

また、「思い出せる」からといって、理解できているとはいえません。少し問われ方が変わると対応できないのです。

このことに気づいたのは、宅建士試験に挑戦したときでした。なかなか合格できないという読者の方の相談を受けて、「じゃあ、私も受験するので、一緒に勉強して合格しましょう」と宅建士試験を勉強し、受験したのです。

これをつぶせば合格ラインに乗ると判断して、過去問をベースにした厳選問題集を使って、7月末の願書提出後、試験3週間前から勉強し、なんとかつぶしました。

しかし、結果は惨敗でした。なぜ、惨敗したのでしょうか？

原因を探るなかで見えてきたのが、「思い出す」だけでは、本当の自分の現状を知るには不十分で、試験本番で使える知識になっていないということでした。

「語る」ことで本番で使えるかがわかる

その次のステップが必要だったのです。それは、「語る」です。

「思い出す」は頭のなかの作業です。「語る」は実際に口に出す、頭の外の作業になります。このため、ごまかしがきかず、あいまいさがなくなります。

また、「思い出す」だけでは、単なる言葉の羅列を心に浮かべているだけの可能性があります。

しかし、「語る」をしてみれば、言葉のつながりや意味を理解しているかどうかが明らかになるのです。

「思い出す」→「語る」。この流れを踏むことで、あなたの今をはっきり、正確に知ることができます。

ブツブツ独り言をつぶやくのに抵抗がある人は、スマホの録音・録画アプリを立ち上げて、「語る」をしてみてください。

なお、予備校の先生になったつもりで「語る」と、自信が出てきますよ。

行動＝

「思い出す」がラクにできるようになったら、独り言でもスマホに向かってでも、「語る」をしてみる。

「あたりまえ化」の3つの基本動作

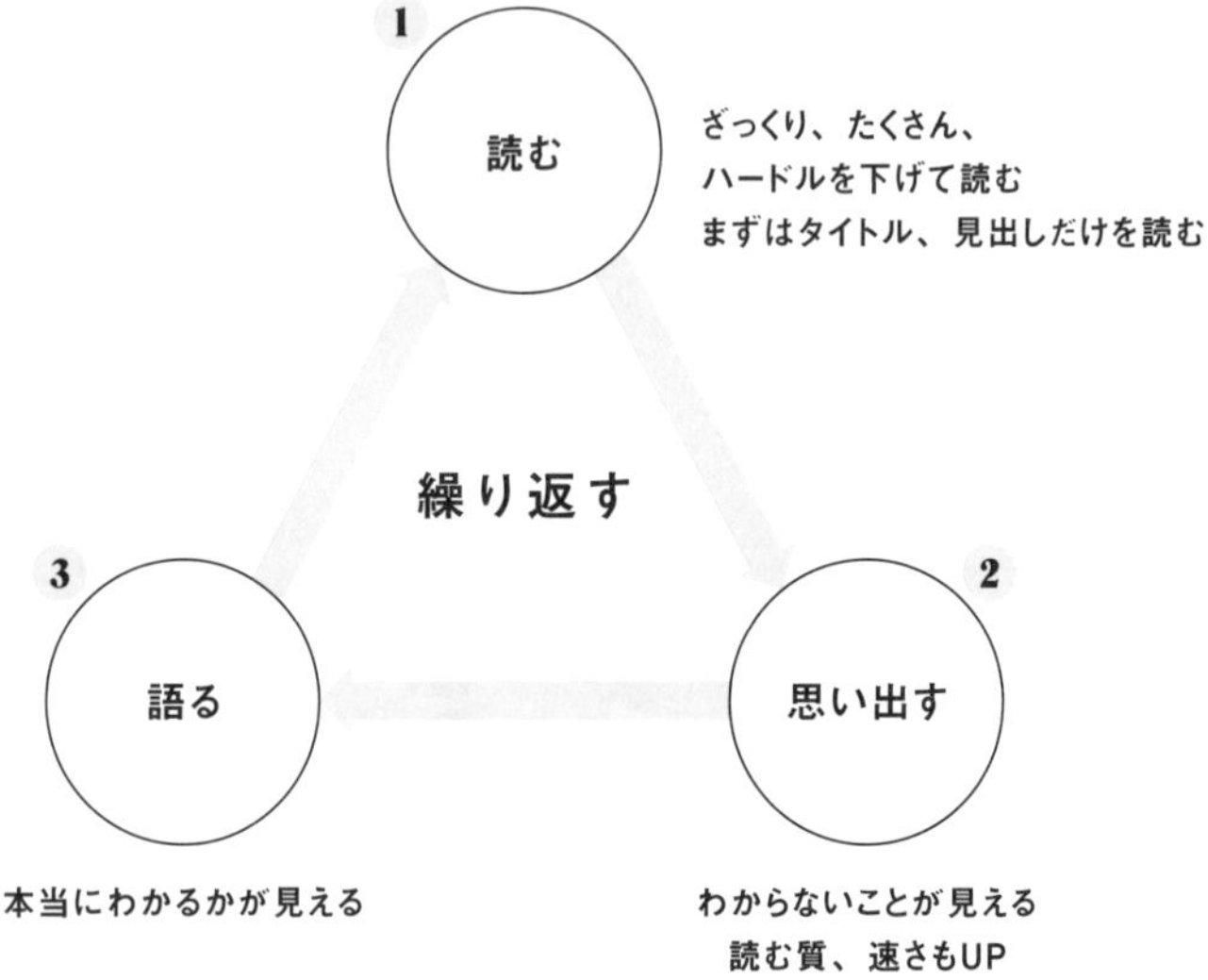
1
読む
ざっくり、たくさん、
ハードルを下げて読む
まずはタイトル、見出しだけを読む
繰り返す
2
思い出す
わからないことが見える
読む質、速さもUP
3
語る
本当にわかるかが見える

1～3のサイクルを続けると、
試験当日に使える本物の知識になる!

07

キーワードは○で囲み、線でつなぎ、図解化する

キーワードは○で囲む

試験当日にめざす状態をはっきりさせる方法をお伝えしましょう。
不要・重複するところを消すと同時に、重要なところを強調することです。
具体的にいうと、「**キーワードを○で囲んで強調する**」のです。
私は「**サインペンで大きな字であらためて書く**」こともします。
キーワードは次に紹介するポイントを参考に、洗い出せます。
一つは「**見出し語**」です。
テキストはもちろん、問題集でも見出しはほとんどついています（計算科目は見

出しが少ないのが難点です。その対策は第7章で詳しく説明します）。

見出し自体は太字や大きく書かれていることが多いですが、強調度合いが低ければ、遠慮せず、○で囲んだり、大きく書き直して目立たせましょう。

そして、本文中もキーワードを中心に解説が展開されていることが多いです。それを○で囲んでおくと、文章の構造が見えてきます。

もう一つ、キーワードを見つけるために注目すべき言葉があります。

それは、「**とは**」です。

「○○とは……」と書かれている文章は、何かの定義が述べられています。すなわち、「とは」の前に書かれている言葉をわざわざ定義づけているのです。

だからキーワードである可能性が高いというわけです。

こんなふうに問題集などを読みながら、どんどん押さえるべき知識を明確にして絞り込んでいきましょう。

キーワードを線でつないで図解化する

キーワードを○で囲んで強調していると、だんだんと文章どうしのつながりが見えてきます。

「ここはその前の説明だな。矢印で結べるな」

「これとこれは並列、箇条書きにできるな」

こんなふうに、「図解化」するように読めたら、かなり理解できてきた証拠です。

逆に、図解化できなければ、まだ十分に理解できていない証拠です。それがあなたの今の状態、現実なのです。

大事なところをペンで強調し、図解化することで、試験当日にめざす状態と今の現状も明らかになってきます。

不要・重複するところを消しつつ、重要なところは○で囲み、線でつなぐ。

「図解化問題集」を作りあげていくことが合格への近道になるのです。

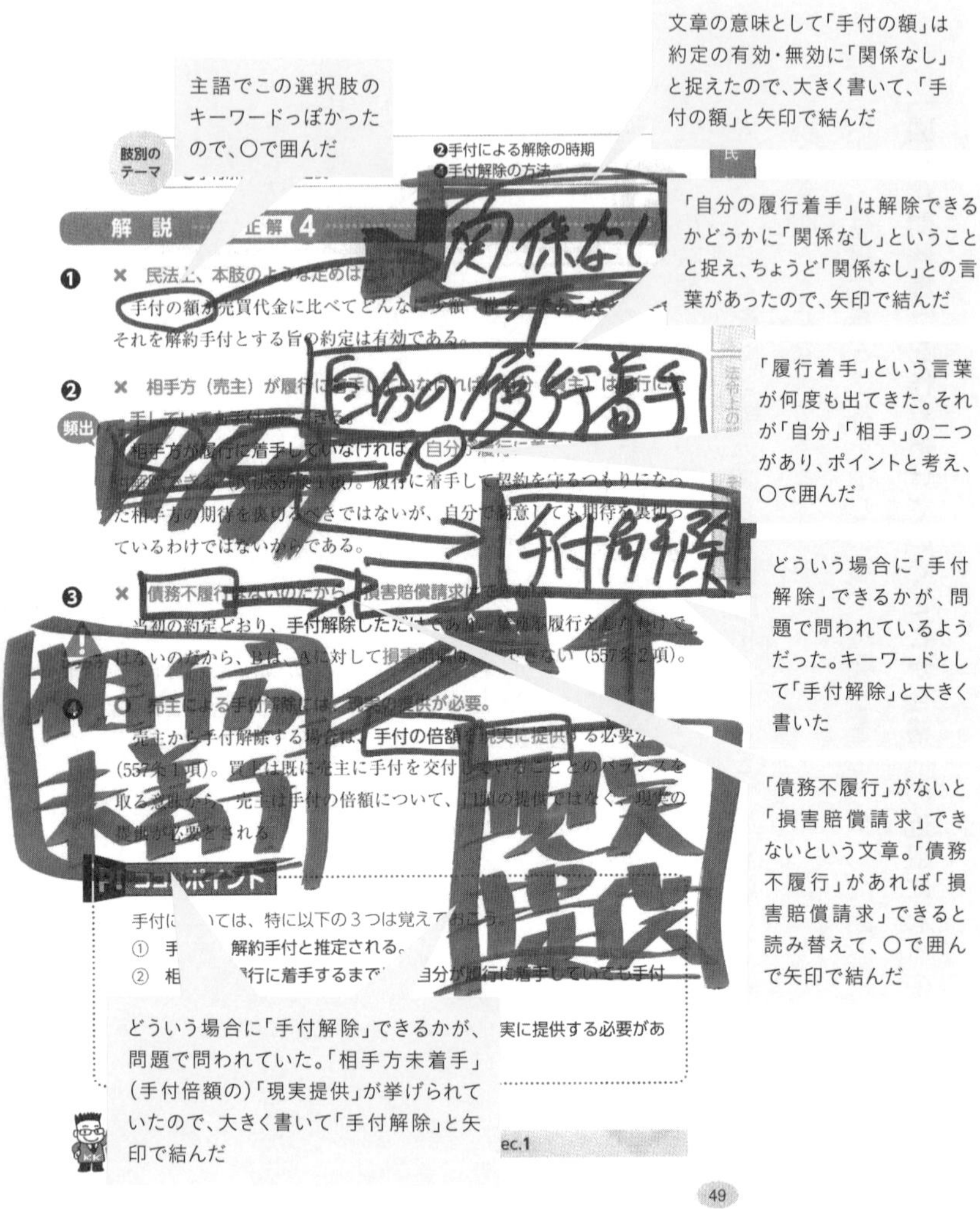
主語でこの選択肢のキーワードっぽかったので、○で囲んだ
文章の意味として「手付の額」は約定の有効・無効に「関係なし」と捉えたので、大きく書いて、「手付の額」と矢印で結んだ
「自分の履行着手」は解除できるかどうかに「関係なし」ということと捉え、ちょうど「関係なし」との言葉があったので、矢印で結んだ
「履行着手」という言葉が何度も出てきた。それが「自分」「相手」の二つがあり、ポイントと考え、○で囲んだ
どういう場合に「手付解除」できるかが、問題で問われているようだった。キーワードとして「手付解除」と大きく書いた
「債務不履行」がないと「損害賠償請求」できないという文章。「債務不履行」があれば「損害賠償請求」できると読み替えて、○で囲んで矢印で結んだ
どういう場合に「手付解除」できるかが、問題で問われていた。「相手方未着手」(手付倍額の)「現実提供」が挙げられていたので、大きく書いて「手付解除」と矢印で結んだ
関係なし
自分の履行着手
手付解除
相手方未着手
現実提供

出典：『2024年度版わかって合《う》格《か》る宅建士分野別過去問題集』（TAC出版）

図解化問題集の作り方の例

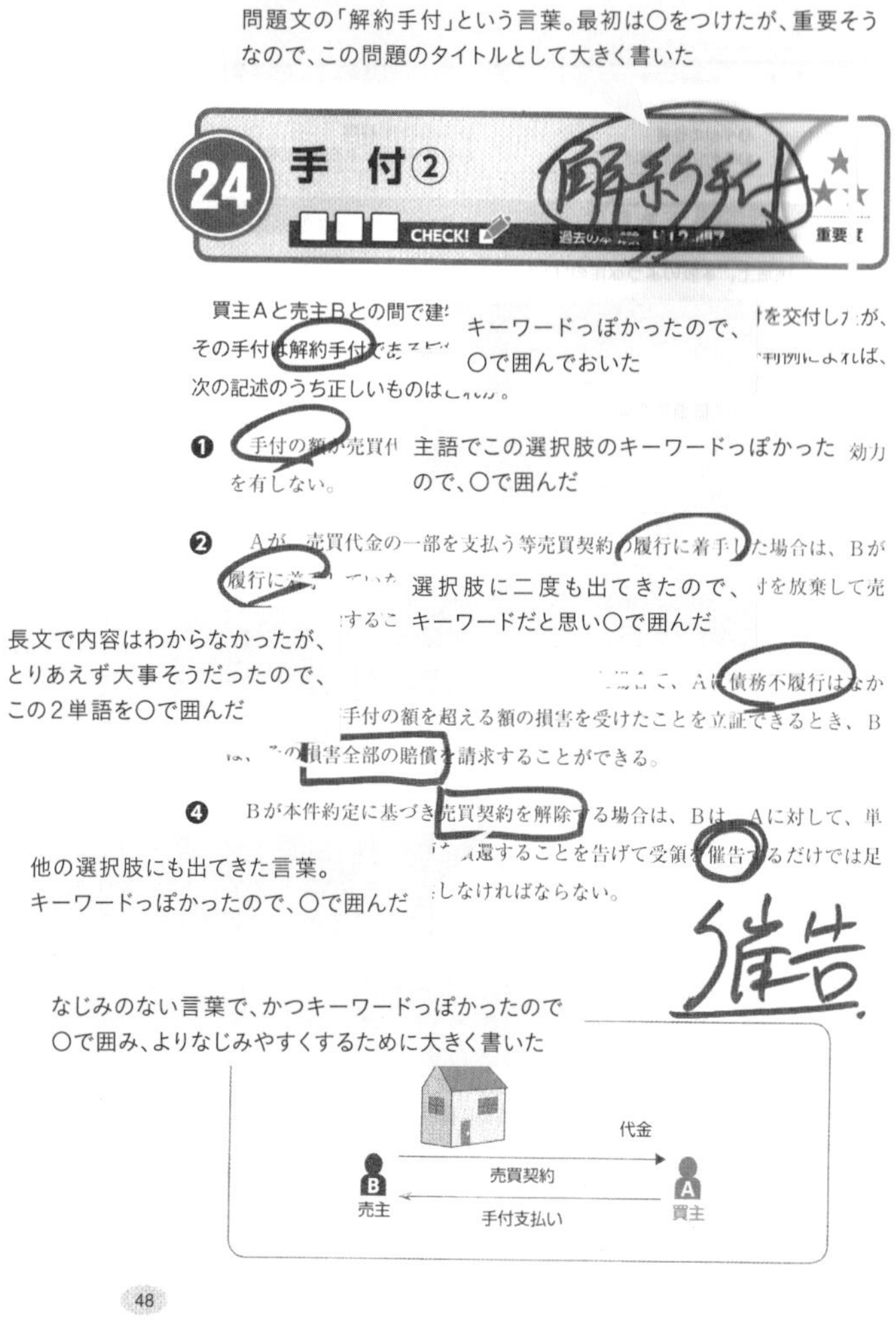
問題文の「解約手付」という言葉。最初は○をつけたが、重要そうなので、この問題のタイトルとして大きく書いた
24
手　付②
CHECK!
解約手付
重要
買主Aと売主Bとの間で建
キーワードっぽかったので、○で囲んでおいた
その手付は解約手付
次の記述のうち正しいものは
❶ 手付の額が売買代
主語でこの選択肢のキーワードっぽかったので、○で囲んだ
を有しない。
❷ Aが、売買代金の一部を支払う等売買契約の履行に着手した場合は、Bが
履行に着手
選択肢に二度も出てきたので、　すを放棄して売するこ　キーワードだと思い○で囲んだ
長文で内容はわからなかったが、とりあえず大事そうだったので、この2単語を○で囲んだ
Aに債務不履行はなか
手付の額を超える額の損害を受けたことを立証できるとき、B
損害全部の賠償を請求することができる。
❹ Bが本件約定に基づき売買契約を解除する場合は、Bは、Aに対して、単
償還することを告げて受領を催告するだけでは足
しなければならない。
他の選択肢にも出てきた言葉。キーワードっぽかったので、○で囲んだ
催告
なじみのない言葉で、かつキーワードっぽかったので○で囲み、よりなじみやすくするために大きく書いた
代金
売買契約
手付支払い
B 売主
A 買主
48

図解化問題集の図解化の流れ

1 見出し、キーワードっぽい言葉（主語や何度か繰り返される言葉など）を○で囲む。

2 ざっくり繰り返すなかで、これがこの問題のタイトルだと思う言葉を大きく書く（解約手付）。

3 さらにざっくり繰り返すなかで、問題で問われているポイントとなる言葉を大きく書く（「自分の履行着手」「相手方未着手」「手付解除」「現実提供」など）。

4 さらにざっくり繰り返すなかで、主語と述語、条件と結果などの関係を矢印で結ぶ。

解説動画

行動＝

キーワードは○で囲む、大きく書き直す。キーワードどうしをつなぎながら、自分なりの図解化問題集・テキストを作る。

今、覚えていなくても落ち込まない

今仕上げることに意味はない

試験勉強中、自分の今＝現状は、ほとんどは試験当日にめざす状態に達していません。ギャップがあるわけです。あるからこそ試験勉強するのです。

ただ、わからないこと、覚えていないこと、できないことと向き合うのは気持ちのよいものではありません。

この「結果が出る」勉強法は、現状をごまかさず鮮明にするので、なおさらです。

だからといって、今勉強しているところに捉われないようにしましょう。

ギャップがあることに落ち込んだり、焦って今すぐわかろう、覚えようとすると、ドツボにハマります。

今、完璧に仕上げる必要はありません。大事なのは試験当日100%に持っていくことです。

人間は「忘れる生き物」です。いくら今、「完璧！」と思っても、安心してそこから勉強しなければ確実に忘れていきます。

現状と向き合い、受け容れつつ、淡々と勉強していくのです。

たくさんの皿を落とさないように回す

国公立大学受験や難関資格試験では、勉強の範囲は膨大です。

科目数だけでも5科目以上にはなってきます。たくさんの科目を試験当日にまんべんなく、「つぶす」ことが求められるのです。

結果を出すためには、今から試験当日までの時間と、試験全科目・全範囲を常に意識しながら、勉強を続ける必要があります。

そうしないと、「今すぐ仕上げよう」という気持ちに追い込まれます。

ここでイメージしてほしいのが「皿回し」です。これは、多くの皿を一度に棒の先で回すという芸です。

各科目・分野が「皿」で、勉強はそれを「回す」ことにたとえるのです。

試験当日には全科目の皿が勢いよく回っている。これがめざす状態です。

そのためには、恐る恐るでも回し始めないといけません。

また、いったん回り始めても、特定の皿に注意が向きすぎると、ほかの皿は止まって落ちてしまいます。

そうならないように、まんべんなく注意を払いながら、回す皿を増やします。

それら全部を落とさないように回し続けるのです。

勉強のコツは、今、仕上げようと思わないこと。淡々と勉強を繰り返しましょう。

行動=

今、仕上げようと思って、今すぐわかろう、覚えようとしない。ギャップを受け容れつつ、淡々と進み、かつ、繰り返し、皿を回し続ける。

09 スランプは成長の証、喜びつつ乗り切る

スランプは必ず起こる

試験勉強をしていると、伸び悩む時期があります。いわゆる「スランプ」です。いろいろわからなくなって、足踏みどころか後退とすら感じることもあります。試験勉強中は必ず好不調の波はあります。スランプは成長するなかで必ず起こるものです。

どんなことでも、成長の過程で必ず「解像度が上がる」ことを伴います。大雑把にしか見えていなかったことが、より細かく見えてくるのです。初心者と上級者では見える世界が違うのです。

解像度が上がった後、実際にできるようになります。

このため、成長の過程では、できるようになるより先に解像度が上がるので、自分のできなさ加減がまず見えてくるのです。これがスランプの起こる要因の一つです。

本書の「結果が出る」勉強法は、現実と常に向き合い、わかるところ・わからないところをシビアに分けていきます。急速に解像度が上がっていくわけです。そして、わからないところ、できないところと逃げずに向き合っていきます。

このため、自分のできなさ加減を痛感し、スランプを感じることも多くなるかもしれません。しかし、それは確実にあなたが成長している証なのです。

できる人ほどできないと感じやすい

できる人ほど自分をできないと思い、できない人ほど自分をできると思う。

これは、認知バイアス＝思い込みの一つとして知られる「ダニング＝クルーガー効果」と呼ばれるものです。

また、多くの人が「自分は平均以上である」と考えがちであるという「レイク・ウォビゴン効果」もあります。

人は自分に甘くなりがちで、できない人ほどその傾向が強いということです。

スランプは、こういった思い込みに気づき、現実を正しく捉えることから生じるともいえるでしょう。

試験勉強とはこういった認知バイアスとの戦いでもあるのです。

「彼（敵）を知り、己《おのれ》を知れば百戦殆《あやう》からず」

古代中国の兵法書『孫子』の有名な言葉です。

試験勉強では、甘い幻想や期待を持たず、投げやりにならず、あきらめることなく、しっかりと現実と向き合うことです。そのためには、過去問を繰り返しやって、知り尽くすことが求められるのです。

行動＝

なかなか伸びない……。「スランプ」を感じたときこそ、成長している証。喜んで受け容れ、淡々と勉強をし続ける。

まとめ

つらくても現実から逃げない

現在地がわからないと目標にたどり着けない

道に迷ったとき、地図を見つけ、目的地がわかったからといって安心はできません。

「現在地」がわからないと、どちらに進めばいいかわからないからです。

やみくもに進んでも、見当違いの方向に進んでいるかもしれません。

試験勉強も、やみくもにするのは非効率です。今いる現在地をできるだけ明確にすることの大切さを第2章で説明してきました。

試験勉強では、これをつい避けてしまいます。自分のできていないところと向き合うことになるからです。

自分ができていない現実に向き合うのはつらいです。しかし、ここから逃げずに前進することで、目標にまた一歩近づくのです。

現実は向き合ったほうが確実にラクになります。早い段階で、落ちるところまで落ちて、底に足が着いてしまえば、後はもう上がるだけ。淡々と試験当日にめざす状態に向けて歩くだけです。

試験勉強では、何か新しいものを生み出す必要はありません。めざす状態に向けやることが決まれば、後は歩き始めるだけで、確実に結果が出るのです。

第3章

報われる勉強を続ける法則

導入解説

報われる勉強・報われない勉強

「がんばる」勉強から「報われる」勉強へ

「めざす結果」「現状」「埋めるべきギャップ」が明確になれば、あとはひたすらそれをつぶすべく、勉強すればいいわけです。

ここまでくると「がんばる」勉強から解放され、「報われる」勉強ができます。

ただ、人は目の前のわかりやすいものに、ハマってしまいがちです。

気づけば、目の前の満足を優先して、「がんばる」勉強に逆戻りなんてこともあります。常に「めざす結果」「現状」を明確にして、勉強を続けましょう。

第3章では、あなたの勉強が確実に報われるコツを解説していきます。

まず知っておいてほしいのが、脳の仕組みです。

「勉強」と「運動」はやはり違う

脳の仕組みから考えると、**知識の理解や記憶といった「勉強」では、「がんばる」ことは本当に役に立たない**のです。

でも、私たちはつい、がんばってしまいます。

なぜなら、「がんばる」ことは、気持ちいいからです。実際、そうすることでうまくいった成功体験もあるからです。

ただ、そのほとんどはスポーツなどの「運動」でしょう。

スポーツ競技では、「もうダメだと思ってからが勝負」です。

そこを乗り越えることで、筋力がさらに鍛えられたり、自らの「リミッター」を外したりできるからです。

「運動」では、「がんばる」ことが報われやすいので、重要なのです（とはいえ、スポーツでも、単なる根性論は否定されています）。

では、なぜ「勉強」では「がんばり」が報われないのでしょうか。

「ワーキングメモリ」をうまく使う

まず、押さえておきたいのが、脳の機能＝「ワーキングメモリ」です。私たちが読んだり、聞いたり、理解したり、話したり、書いたりするときに、必ずこれを使います。これは一時的に記憶する領域で、一瞬で記憶できるのが特徴です。

今この瞬間もあなたは「ワーキングメモリ」を使っています。

読んだ単語、文章を一瞬で記憶しつつ、次に目に入る単語、文章とそれをつなげることで、理解していっているわけです。

この「ワーキングメモリ」がなければ、こうはいきません。

また、あなたは関連する知識や体験といった記憶を思い出しながら、読んでいる文章を理解しています。

これは次に説明する「潜在記憶」という働きです。そうやって思い出された記憶も「ワーキングメモリ」に入ってきます。

ワーキングメモリは、いわば、「脳の情報処理センター」なのです。「考える」こともワーキングメモリの働きです。

ただ、このワーキングメモリには限界があります。それは、蓄えられる情報量が少ないことです。

実際、あなたは前のページに書いてあったことを語れないでしょう。かすかに残る記憶をなんとか思い出して、少し語れるくらいでしょう。

このため、**いくらがんばって知識を詰め込もうとしても、うまくいかないのです。「がんばる」勉強は報われないのです。**

あなたの勉強をスムーズに進めるためには、このワーキングメモリの限界を知り、うまく使っていくことが必要なのです。

「潜在記憶」をうまく使う

押さえておきたい、もう一つの脳の機能が「潜在記憶」です。「勝手に記憶を思い出す働き」です。

ワーキングメモリとは？

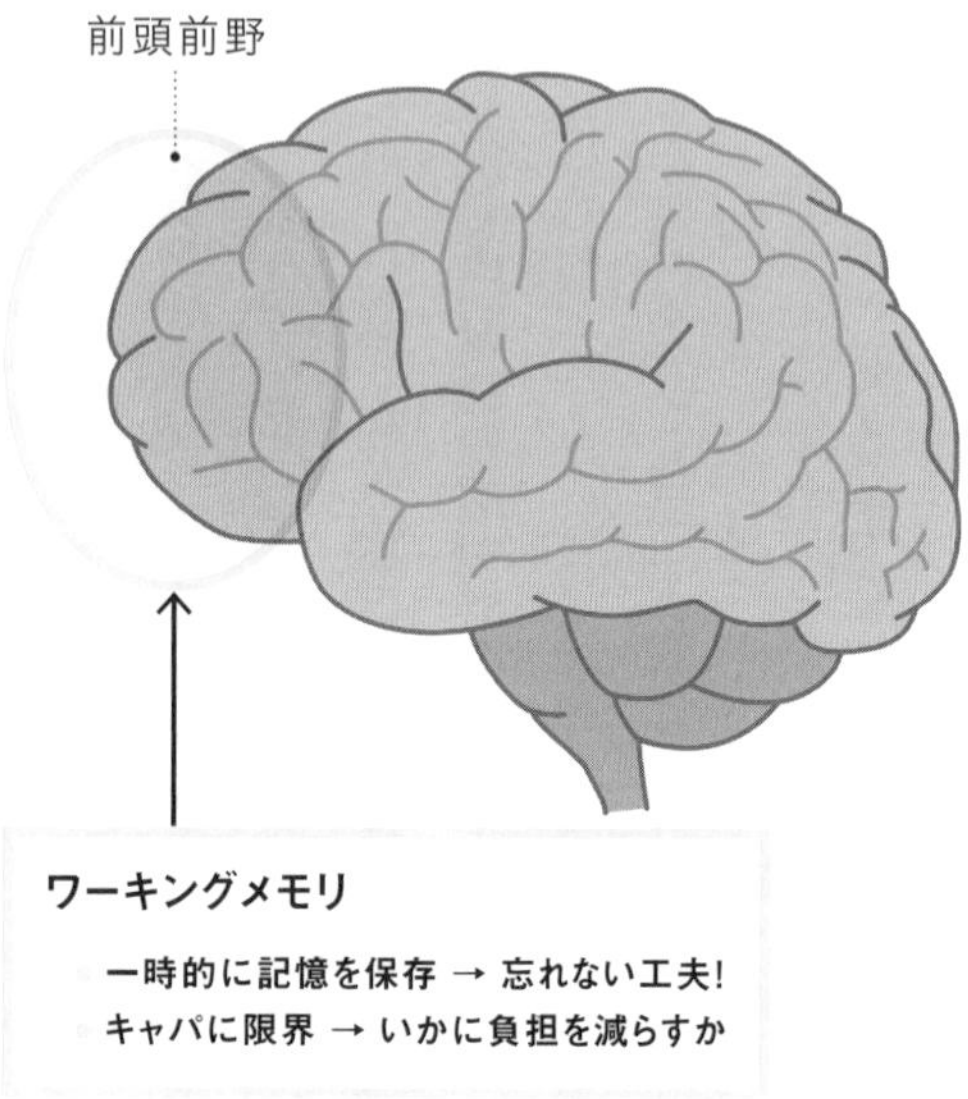
前頭前野
ワーキングメモリ
一時的に記憶を保存 → 忘れない工夫！
キャパに限界 → いかに負担を減らすか

**繰り返し／ざっくり／ハードルを下げる、などが
脳がフル回転する秘密**

単語や文章を読んだり、ただ周りを見渡しているときでも、私たちは常に記憶を思い出しています。

サクラの花を見ていると、過去に見たサクラの記憶を思い出していて、実は目の前のサクラをちゃんと見ていなかったりします。

ただ、この記憶の思い出しは脳が勝手にしているので、その名の通り、私たちも気づかず、普段は意識していません。

物事を理解し新たな知識を記憶するときには、すでに知っている、覚えている知識が欠かせません。このため、「潜在記憶」は必要不可欠なのです。

ワーキングメモリと潜在記憶をうまく使いましょう。これによってあなたの勉強は理解・記憶に直結し、報われるのです。

01 頭のなかにあることは外に出して、脳をラクにする

頭のなかだけでは考えられない

「うーん。これどういうことなのかなあ⁇」

腕組みをして、目を閉じて、ちょっと顔を上げて「考える」。

試験勉強をしていて、こんなことありませんか？

私は昔、よくありました。でも、今はこうなっていると気づいたら、すぐに頭のなかに浮かんでいる言葉やイメージを書き出します。

なぜなら、頭の「中」だけで考えても、たいして深く考えられないからです。

これは「ワーキングメモリ」に限界があるためです。

「書き出す」と「ワーキングメモリ」の限界を超えて考えることができます。

これは意識しないとなかなかできません。つい、「うーん」と考え始めてしまいます。というより、正確には脳が休み始めるのです。

「考える人」は「書く人」である

有名なロダンの彫刻「考える人」をご存じの人も多いでしょう。頬杖をついて、いかにも考えているふうです。

しかし、実際の「考える人」は「書く人」です。

「考える」ことの専門家ともいえる哲学者や数学者の多くは、膨大なメモを残しています。現象学を確立したフッサール、「不完全性定理」で知られるゲーデルなどのメモはよく知られています。


頭のなかの言葉・イメージを書き出すことで、脳（＝ワーキングメモリ）はラクになり、新たな情報を呼び出したり、情報と情報をつなげることができるようになるのです。

私自身がこのことに気づき始めたのは、ある言葉と出会ったときでした。

「頭の外で考える」

これは哲学者・野矢茂樹さんの言葉です。『はじめて考えるときのように「わかる」ための哲学的道案内』（野矢茂樹著、PHP文庫、2004）に書かれています。「考える」というと、ほとんどの人が「頭の〝中〟で考える」ことをイメージすると思います。

これを、「頭の〝外〟で考える」ことに置き換えていくのです。

たとえば、「『ハードルを下げる』ってどういうこと?」と疑問点が頭の「中」に浮かんで気になったら、「ハードルを下げる」という言葉を本書の余白に大きく書いてみるのです。ここから、頭の「外」で考える、が始まります。

書き出して、頭の外で考えるだけで、あなたの頭は一気にラクになります。考え、理解し、記憶することがどんどんラクになっていきます。

行動 ‖

頭のなかにある言葉・イメージはどんどん頭の外に書き出す。頭の〝中〟で考えるのではない。頭の〝外〟で考える。

スマホはカバンの奥深くにしまう

わざわざハンディを負いますか

頭の回転速度を落とし、確実に試験勉強の効率を下げる方法があります。

それはスマホを机の上に置いて、勉強することです。

「注意」について研究する、北海道大学の河原純一郎教授はこんな実験を行っています。

ある作業を行うとき、ある人の机の上にはスマホ、別の人の机の上にはスマホと同じサイズのメモ帳を置くという二つの状況を対比させせました。

どちらの人の作業の生産性が高かったか？ 答えはわかりますよね。スマホがなかったほうです。

あなたもあるでしょう。スマホが気になりつい手に取ってしまったことが。

スマホには、たくさんのおもしろい情報が次々に届きます。あなたの注意を引こうと、魅力的なアプリやゲームも詰まっています。

そんなスマホの前では、無視しようとしてもムダな抵抗です。無視しようとすること自体も、あなたの注意を奪うのです。

ワーキングメモリは注意を使って記憶し、考えます。スマホに気を取られることで、ワーキングメモリはムダに消費され、頭の回転が遅くなるのです。

スマホはカバンの奥深くにしまう

時間がないなか試験勉強しているなら、少しでも集中して勉強したいところ。

理想をいえば、スマホを手放すことですが、そうはいかないでしょう。

スマホを家に置いて、近くのカフェで勉強する。もしくは、勉強する間だけでも、カバンの奥深くなどにしまいましょう。これは、簡単に環境を変えることにもなります。

ちなみに、がんばってワーキングメモリを鍛えようなんてことはやめましょう。最近、ワーキングメモリの存在が知られるようになり、「ワーキングメモリ・トレーニング」なるものも出始めました。しかし、ほぼ眉唾物です。

そのトレーニング自体の成績は訓練によって向上したとしても、ワーキングメモリ自体が増えたりすることはないからです。

ワーキングメモリはその限界を自覚し、有効活用するしか道はありません。そのために**有益で簡単なのが、スマホと離れて勉強することなのです。地味ですが非常に効果が大きいのです。**

行動＝

スマホは確実に勉強の効率を低下させる。勉強するときはスマホを近くに置かない。もしくはカバンの奥深くにしまう。

03

やる気がないときこそ、少しでもやる

やる気があってもなくてもやる

「やる気が起きないなあ」「勉強する気、しないなあ」

こういうとき、ありますよね。私もよくありましたし、今もあります。

常に勉強する気満々なんてことは、あり得ません。やる気には波があり、上下するものだからです。

大事なことは、「やる気」に左右されずに、「やる」ことです。

「それができれば苦労しないですよ」

そういわれるかもしれませんが、「苦労」している時点で、あなたは報われない勉強をしている危険性があります。

そして、やる気を上げようとしている間は、勉強できないムダな時間です。

やる気がないときは、やる気を上げようとする前にできることがあります。

やる気がなくてもやれるように、やることのハードルを下げること。

たとえば、読むのは無理だとしても問題集に触れることもできませんか？

「触れてどうなるの？」

そう思われるかもしれませんが、その行動は確実に勉強に近づいています。

触れていれば、手に持つ、ちょっと見るに近づきます。

「その程度ならやらないほうがまし」などというヒマがあれば、とにかくハードルを下げてください。そうやって、ほんの少しでも勉強していきましょう。

「やる気」は「やる」と生まれてくる

不思議なことに少しでも「やる」と「やる気」は生まれてきます。

まったくやる気がしなかった部屋の掃除。ちょっとやり始めたら、気づいたらおもしろくなって片づいていた、なんてことはありませんか。

これは脳科学でも実証されており、やる気のもとは脳のなかにある「側坐核《そくざかく》」と呼ばれる場所にあります。そこは何か行動すれば活性化するのです。

ただやることでやる気は生まれてくるのです。だからこそ、少しでも「やる」ことで、やる気が出て、たくさん「やる」ことにつながっていくのです。

ハードルを下げて、少しでも「やれる」工夫はいろいろあります。

・問題集をバラして薄くする。

・「とりあえず3分やる」と決めキッチンタイマーをセットする。

といったことも、効果的です（ハードルの下げ方はP.144参照）。

「この程度やっても……」と思う前に、とりあえず「この程度」のことをやりましょう。その積み重ねが、必ずあなたを助けるはずです。

行動＝

やる気がないときこそ、勉強のハードルを徹底的に下げて、少しでもやる。少しでも勉強する。

1日の初めは必ず復習から始める

試験勉強は忘却との戦い

人は忘れます。ワーキングメモリに入った記憶はすぐ忘れます。長期記憶に入ったと思っても、繰り返し思い出していない限り、やはり忘れていきます。

試験勉強をしていると必ずこうなります。

「あれ、昨日はちゃんと覚えていたのに……思い出せたのに……」

繰り返さないと忘れる脳と、一方で、当日に覚えていないといけない試験。

試験勉強はこの忘却との戦いといえるのです。

では、これまでやったり、覚えたことを毎日繰り返せばいいのではないか？

そんな発想から生まれた勉強法があります。

その名も「スイッチフルバック法」です。

「スイッチバック」とは急斜面を登るためにジグザクに敷かれた道や線路のことです。ジグザクに進む行動をいいます。

そのやり方とは、「一日一日の目標を設定、毎日毎日、目標を切り換え（スイッチ）ながら、そのつど元の第一ページに戻って（フルバック）記憶を確認し、深めて行くという学習法」（『驚異のスイッチフルバック学習法　スーパー受験術』小谷一著、ゴマブックス、２０１３）です。

毎日、最初のページに戻って読むのはなかなか大変ですが、忘却と戦うために、繰り返し続けるというのは非常に重要な視点です。

「急がば回せ」

なお、私の勉強法も繰り返しを重視しますが、この「スイッチフルバック法」と、大きな違いがあります。

それは、「じっくり」と「ざっくり」の違いです。

「スイッチフルバック法」は最初から、「一字一句を頭に覚えこむようにして、丹念に読む」のに対し、本書の「結果が出る」勉強法は見出し読み、飛ばし読みなどをすすめます。

いくらじっくり読んでも、ワーキングメモリからあふれてしまうからです。

たとえば、荷物を運ぶことを考えたとき、急ごうとして、抱えきれないほどの量を一度に運ぼうとしても、落としてしまいます。

それよりも、ラクに抱えられる量を運ぶのを繰り返すほうが効果的です。

試験勉強でも、最初から全部覚えようとがんばらず、繰り返すなかでだんだんと覚えていけばいいのです。

勉強はまさに「**急がば回せ**」なのです。

行動=

1日の初めは、昨日取り組んだところをざっくりでもいいので見返し、思い出してみる。

目次は勉強の基地

見出し読み・飛ばし読みの極意①

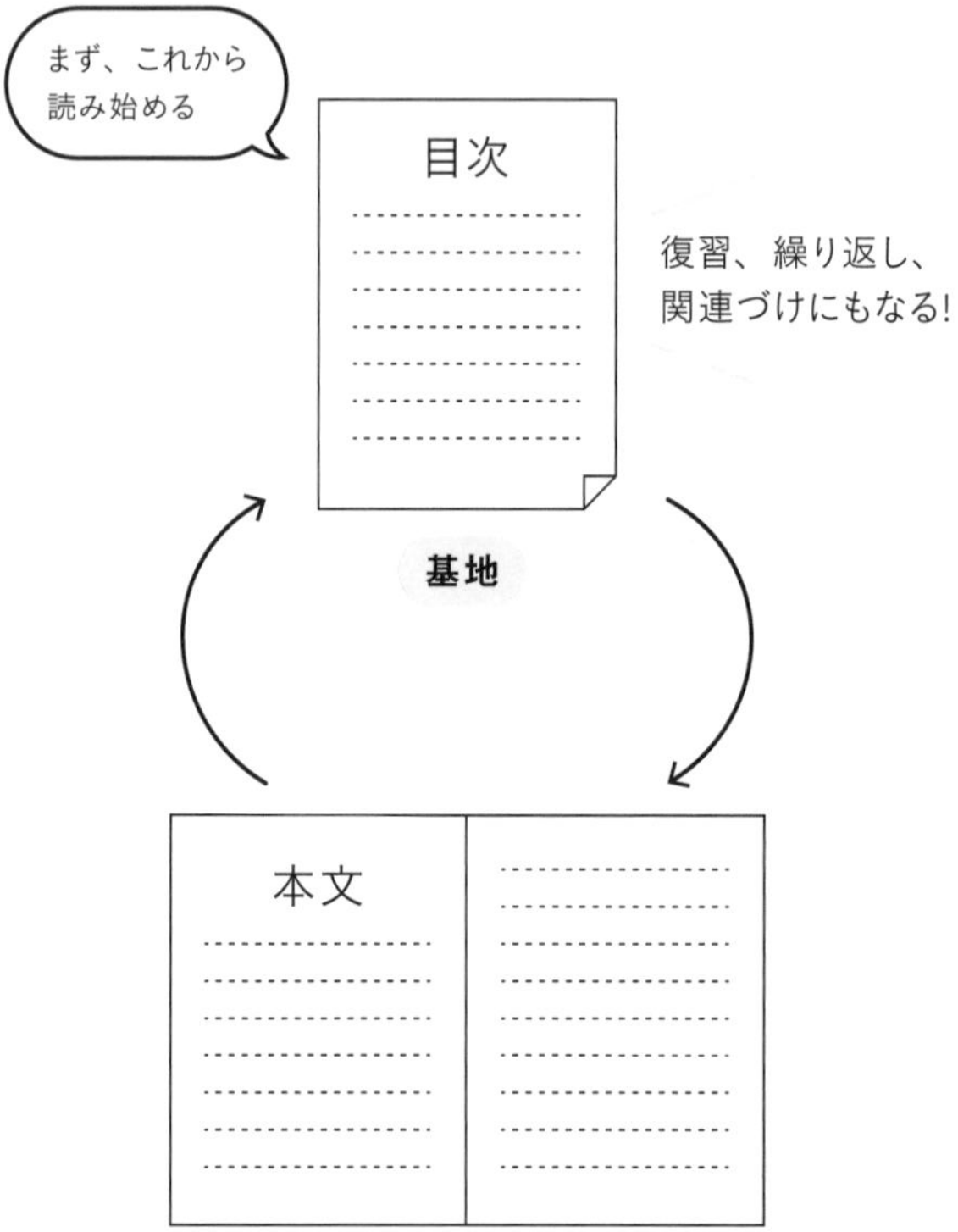
まず、これから
読み始める
目次
復習、繰り返し、
関連づけにもなる!
基地
本文

勉強で困ったり、止まったり、
うまくいっていても必ず戻る!

タイトル、見出しだけを読もう

見出し読み・飛ばし読みの極意②

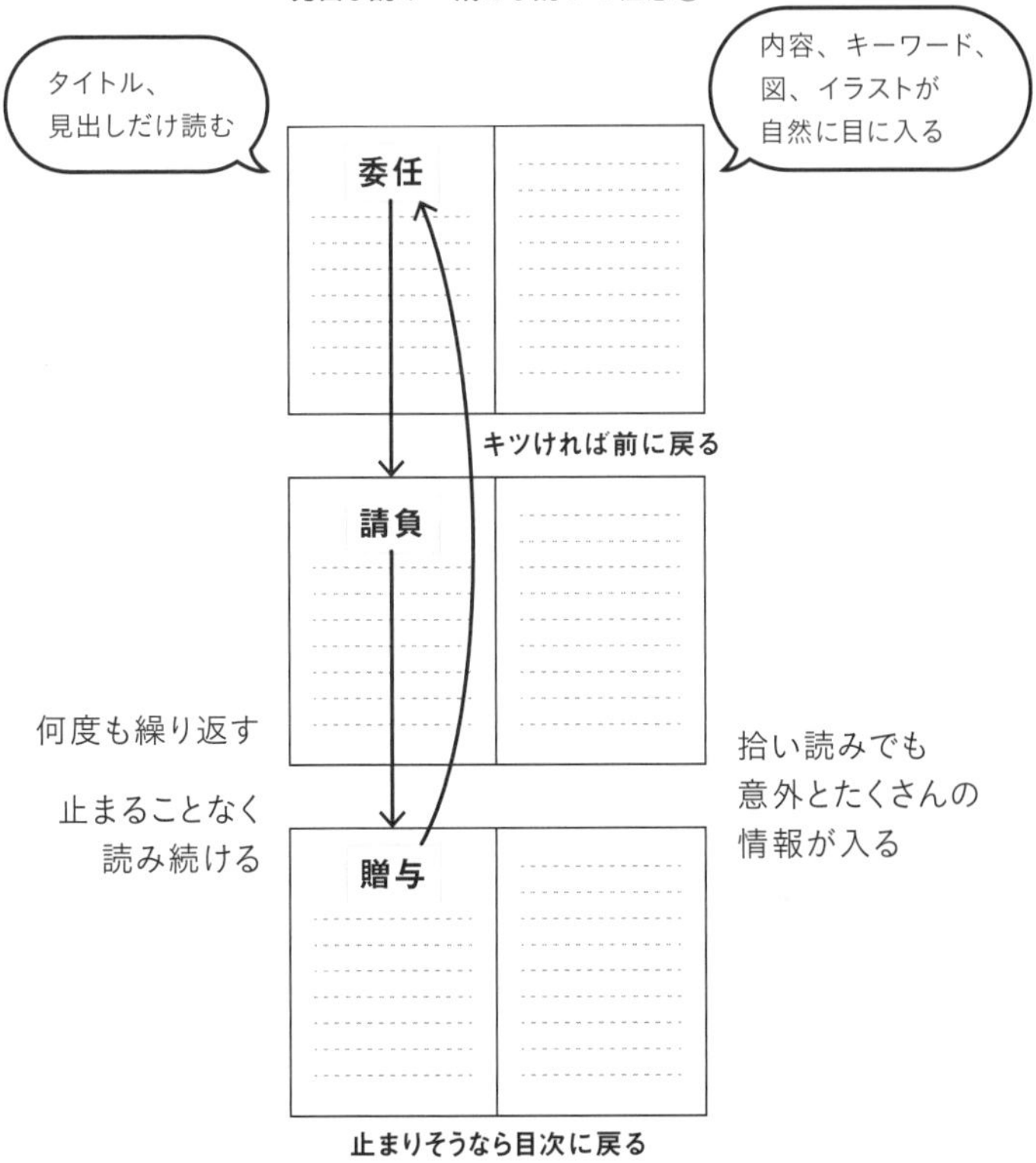
タイトル、
見出しだけ読む
内容、キーワード、
図、イラストが
自然に目に入る
委任
キツければ前に戻る
請負
何度も繰り返す
止まることなく
読み続ける
拾い読みでも
意外とたくさんの
情報が入る
贈与
止まりそうなら目次に戻る

本文は後回しでOK
タイトル、見出しになじむ

05

まったく勉強しないより、少しでも勉強する

ちりも積もれば一気に山となる

「千里の道も一歩から」「小事は大事」

試験勉強に限りませんが、どんなことも小さいことの積み重ねであり、小事をおろそかにしては何も達成できません。第3章03（P.128）でもお伝えしましたが、少しの「やる」が引き金となって、大きな「やる」につながっていきます。

また、知識はつながりです。

ある一つの知識がハブ（中継地）となって、これまで勉強してきた知識が一気につながり、わかることがよくあります。

試験勉強は努力が報われやすい仕事です。あなたがコントロールできるものです。

多くの人が絡んで、その人たち次第なんてことはありません。天候などの自然、景気、政治などの社会の影響もほとんど受けません。

結局、あなた自身が「やる」か「やらない」かです。あなたが少しでも勉強すれば合格に近づき、勉強しなければ近づきません。

あなたが試験に合格したいのであれば、とにかく、少しでもやることなのです。

「ムダなことはしたくない」と止まるムダ

「こんなやり方で合格するだろうか……」「もっと効率的な勉強法はないだろうか……」

勉強中に、悩まれることもあるでしょう。

ただ、「ムダなことはしたくない」と思いすぎると、かえってムダになるので注意が必要です。

「問題集は何回転すればいいのでしょうか？」

「最も効率的な復習のタイミングはいつですか？」

受験生から私にいろいろな質問が届きます。

質問したい気持ちはわかりますが、大事なことは、走りながら考えることです。

そうしないと、あれこれ考えて勉強を止めてしまうからです。

わからなくても、とりあえずほんの少しでも勉強する。思い出し、語りながら、今の自分と向き合う。試験当日にめざす状態に進んでいるかを確認しながら、自分なりに地道に試行錯誤を重ねるのです。

「ムダなことはしたくない」と勉強しないで止まることが最もムダ。動きながら考えることが新しい扉を開けるのです。

行動＝

とにかくほんの少しでも勉強する。これでいいのだろうかと悩む前に勉強する。そうすれば結果が出る。

とにかく基本問題を落とさない

なかなか合格しない人の共通点

どこの予備校にも「ベテラン受験生」なる人がいるそうです。新しく入ってきた受験生に勉強法についてアドバイスし、細かい論点について熱く語る……。でも、なぜか本人は合格に至らない。

代わりに、後から勉強を始めた人がどんどん追い抜いて合格していく。

そんな「ベテラン受験生」に共通する特徴があります。

それは、細かい論点、いわゆる応用論点にこだわっていることです。その結果、基本論点がおろそかになり、試験本番で基本問題を落としてしまうのです。

これは「ドーナツ化現象」と呼ばれているものです。

長く勉強していると、いろいろなことに興味が出てきます。基本論点よりも応用論点のほうがおもしろいため、ついそちらに興味が向いてしまいます。

ワーキングメモリの容量には限界がありますから、応用論点に注意を奪われている間に、基本論点への注意がおろそかになります。

結果、中心が抜け薄くなってしまう「ドーナツ化現象」が起こり、多くの人ができる基本問題を落とし、合格ラインを下回ってしまうのです。

「ケアレスミス」を軽視しない

実は基本問題こそが試験勉強で大事です。いかに、基本問題を確実に正答できるか。これがポイントです。

多くの試験、しかも超難関試験でも、難易度A（易）を確実に取り、難易度B（普通）もある程度押さえれば、合格ラインに届きます。

でも、基本問題は、だれもができるわけではありません。試験本番のプレッシャー、時間的制約のなかで、ポロポロ落とすのです。

そうならないよう、試験勉強では「あたりまえ化」を徹底するのです。「こんなのあたりまえでしょ」というレベルになるまで繰り返し、思い出し、語るのです。「ケアレスミス」は「あたりまえ化」できなかった証です。繰り返し勉強できなかった、明らかな実力不足によるものなのです。

簡単な基本問題も難しい応用問題も、配点は大きく変わりません。それどころか、試験結果に基づく配点調整のなかでは、基本問題の点数のほうが高くなることさえあるのです。

基本問題を確実に解けるようにする。これが試験合格、勉強の鉄則です。

行動＝

基本問題を確実に解けるようになる。これでもかと繰り返して「あたりまえ化」する。応用論点に逃げ込まない。

07

勉強のハードルは下げて下げて下げまくる

「よし、勉強するぞ！」もムダ

「そろそろ、勉強を始めなきゃ」「よし、勉強がんばるぞ！」

あなたは勉強に取りかかる前に、こんなふうにあらためて気合を入れ直して、勉強に取りかかっていませんか？

悪いとはいいませんが、これは、時間とエネルギーのムダです。

クルマでいえば、エンジンを空吹《から》かししているようなものです。

これよりも、すぐに走り出せたほうがいいと思いませんか？

「勉強しよう」と思った瞬間に、勉強を始めている。

「そんなの無理でしょ？」と思うかもしれませんが、できます。

お伝えしてきたように、勉強のハードルを下げて下げて下げまくるのです。

10キロメートル走ると思うと、なかなか腰が上がらないかもしれません。でも、1歩歩くだけだったら、すぐにできますよね。

気合を入れる前に、さっさと始めてしまうわけです。

「がんばり」は続かない

あなたがまだ試験勉強を始めたばかりなら、「よし、やるぞ！」とがんばるのがラクに思えるかもしれません。

でも、そんな「がんばり」は続くものではありません。

何かをがんばる、もしくは我慢する。そこには「意志の力」を使っています。

これは英語で「Will Power（ウィルパワー）」と呼ばれます。意志を筋肉のように使うと疲れてしまって、使えなくなることが知られています。

つまり、「がんばり」は続かないわけです。なので、ハードルを下げてがんばらないほうが、結果的に努力を続けられるのです。

試験勉強は長距離走です。飛ばしすぎては、結局はゴールにたどり着けません。

とにかく、ハードルを下げて下げて下げまくる。

とにかく、ラクに勉強を始める、気持ちよく続ける。

大事なことは、がんばることではなく、勉強することです。

ハードルを下げまくる工夫

- 昨日勉強したことを思い出す・語る
- 問題集をパラパラとめくり、見出しだけ読む
- とりあえず3分間、タイマーをセットして問題集に取り組む
- 問題集の表紙に触れる / 問題集を手に持つ
- 科目名を声に出す
- 科目を一つ取り上げ1分間で説明する
- 章タイトルで思いつくまま思い出す・語る
- 目次を10秒間眺めたあと、思い出し語る
- 問題集をめくり、見出しだけ眺める
- 適当に問題集・テキストをめくり、目についた言葉について説明する
- 駅に向かうまで問題集を手に持って目についた言葉を語る
- なかなか覚えられない数字の語呂合わせを考える
- キーワードの定義をボイスレコーダーに吹き込む・再生する

行動＝

がんばらないで勉強を始め、気持ちよく続ける。そのために、ハードルを下げて下げて下げまくる。そして、たくさん勉強する。

わからなければ、どんどん飛ばす

ゆっくりじっくりでは報われない

第2章で、わからないところは飛ばそう、といいました。一方、わかろうとして、そこが気になって止まったり、ゆっくり読んだりすることもあるでしょう。

たしかに、そうやってわかることもあります。

でも、ほとんどの場合、報われません。ゆっくりじっくりでは、ワーキングメモリも潜在記憶も有効活用できないからです。

大切なので何度もいいますが、ワーキングメモリの容量には限界があります。

ゆっくりじっくり読んで、一生懸命知識を身につけようとしても、ただワーキングメモリからあふれてしまうだけです。

「がんばってわかろう」は報われない努力です。

また、知識がないと潜在記憶は働きません。新しい言葉や内容に注意が奪われ続け、ワーキングメモリを圧迫するだけです。

ワーキングメモリや潜在記憶を有効活用したいのであれば、わからないところを今すぐわかろうとしてはいけません。

それよりも、**飛ばしてざっくり**、です。

「飛ばしてざっくり」だからわかる

本当にそんないい加減な読み方でいいの？　と思われるかもしれません。

しかし、これがあなたの脳を最もうまく使えるやり方なのです。

読んでいて「うっ」と詰まったりすることがありますよね。わからない言葉や内容が続き、頭に入ってこない状態です。

そんなときにがんばっても、ワーキングメモリからあふれるだけです。

報われる読み方

×		○
「ゆっくりじっくり」読む	<	「飛ばしてざっくり」止まらず読む

解説動画

さっさと飛ばして、読めるところ、読む気がするところを読みましょう。

見出しや、これまで読んだところを繰り返すのでも構いません。

何度もそうするなかで、記憶が蓄えられ、それが潜在記憶となって働き、ワーキングメモリをラクにしてくれます。

大事なことは「止まらない」ことです。

「飛ばしてざっくり」なんて……と思うかもしれませんが、実際にやってみると、無茶苦茶キツい読み方です。

「ゆっくりじっくり」は、がんばっているようで、脳も動作も実はほぼ止まっています。いわば、休んでいるのです。

報われる勉強は、わからなくてもすかさず飛ばす、見出しなどだけをざっくり読むことから始まります。止まらないで休まず勉強するのです。

こうして、ワーキングメモリをフル活用し、記憶をだんだんと蓄えながら、潜在記憶を働かせることで、本当に報われる勉強になっていくのです。

行動＝

今すぐわかろうと「ゆっくりじっくり」読むのではない。詰まったら、「飛ばしてざっくり」止まらず読むこと。

まとめ

結果にこだわると脳がラクになる

結果が出るまでやる！　と腹をくくる

報われる勉強を行うための究極のコツがあります。

それは、結果が出るまでやる！　と腹をくくることです。最後は精神論かと思うかもしれませんが、腹をくくることが脳に効くのです。

試験勉強に限らず仕事でも、できるだけ効率的に行いたいと思う人がいます。多くの人がそうでしょう。そう思うことは大事です。

ただ、もう一押しが必要なのです。それが、腹をくくること。何度失敗しようと、ムダなことをしようと、結果が出るまではやり続けると覚悟することです。

実は、こう決めたほうが、早く結果を出せます。

失敗したときやうまくいかなかったときに、あれこれ迷わないからです。

これも、ワーキングメモリをムダに使わないことにつながります。

めざす結果・今の結果から目をそむけず進む

結局、報われる勉強とは、脳を有効活用しうまく付き合っていくことなのです。

人は臨場感のある、目の前のことにすぐに注意を奪われます。使える注意力は限られていますから、未来のことに注意を向け続けられません。

また、人は物事を明確にするよりも、あいまいにごまかし、先延ばししがちです。そのほうが、ワーキングメモリを使わず、ラクだからです。

しっかり意識しないと、人はめざすゴールや現実から目をそむけてしまいます。

残念ながら、「学校の勉強」では、脳の働きを最大化することはできません。第1～3章の内容を徹底的に繰り返すことで、あなたの勉強はまったく違ったものに進化するはずです。

第4章

速く読み・理解し・記憶する法則

導入解説

速読術・記憶術の本当の使い方

「使えそうで使えない……」〇〇術

「1冊1分で読める」「一度読んだら忘れない」

そんな夢をかなえてくれるかのような効用をうたう多くの速読術・記憶術。

これが本当なら、試験勉強は劇的にラクになりますよね。

あなたも一度は興味を持って、試してみたかもしれません。

速読術・記憶術を少し体験すると、「もしかして、これすごいかも……、ラクに試験に合格できるかも」と思わせてくれます。私もそうでした。

しかし、実際にはうまくいきません。トレーニングに時間やお金をとられたり、内容が理解できずに、逆に試験勉強が非効率になってしまうのです。

速読術・記憶術は「使えそうで、使えない」のです。

原理原則を押さえる。「ストック」で速くなる

しかし、速読術、記憶術の原理原則を押さえて、試験勉強に活用することはできます。「一度読んだら忘れない」なんてことはできませんが、確実に試験勉強を効率的・効果的にしてくれます。

「試験前日には、問題集を1冊3分で読めるようになる」

「新しいテキストの目次項目100個を1日で覚え、語れるようになる」

こんなことがラクにできるようになります。

では、速読術、記憶術の原理原則とは何でしょう?

まずは速読術の原理原則です。

それは、「**知っている本は速く読める**」ということです。

あなたは同じ本を、1回目よりも2回目のほうが速く読めるでしょう。3回目

はさらに速く読めるかもしれません。

これが速読術の原理原則です。私たちは本を読むときに、自分自身が持っている「ストック」、つまり記憶にある知識や体験を使っています。

極端な話、あなたが日本語を知っていて、そのストックがあるから、この本も読めているわけです。これは、第3章で説明した「潜在記憶（＝勝手に記憶を思い出す働き）」によるものです。

速く読むためにはこの「ストック」の力が欠かせません。いかにこの**「ストック」を素早く、効果的に蓄えていくかが、速読術を活用する秘訣**です。

記憶術＝場とイメージの力で覚える

最近では「記憶術」は「メモリースポーツ」などと呼ばれています。

バラバラの52枚のトランプを数十秒で記憶する。その場で読み上げられる何十桁もの数字を一瞬で覚えてしまう。度肝を抜かれます。

ただ、記憶術が得意とするのは、記憶するのが非常に難しい「無意味な」情報を覚えることです。記憶できる量も実はそんなに多くありません。

一方、試験勉強で私たちが記憶する必要があるのは、そのほとんどは、「意味のある（＝有意味な）」情報です。しかも量は膨大です。

そこでは、記憶術の力はあまり発揮できず、ムダになる危険があるのです。

とはいえ、無意味な情報を素早く記憶できる記憶術を活用しない手はありません。そして、記憶術の原理原則さえつかめば、その活用は簡単なのです。

すべての記憶術の原理原則は次の二つに集約されます。

場所とイメージです。人はこれらを記憶するのが非常に得意です。**記憶術とは、記憶したいものを、「イメージ」に変換し、「場所」に結びつけること**です。

これを押さえれば、あなたも記憶術を勉強に活用できます。

この章では速読術、記憶術の原理原則を押さえながら、試験勉強で「報われる」具体的な技術をお伝えしていきます。

01 いちいち音にしなければ速く読める

音声化をやめる

世のなかにはさまざまな速読術があります。そのほとんどに共通する、定番の技術があります。

それは「音にしない」で読むこと。

口を動かして声に出して読んでいる「音読」、心のなかで声に出して読んでいる「黙読」。どちらも音にしています。

試験勉強では、おそらくほとんどの人が「黙読」しているでしょう。この「黙読」が速く読めなくしています。わざわざブレーキをかけているのです。

文字をかたまりで読む

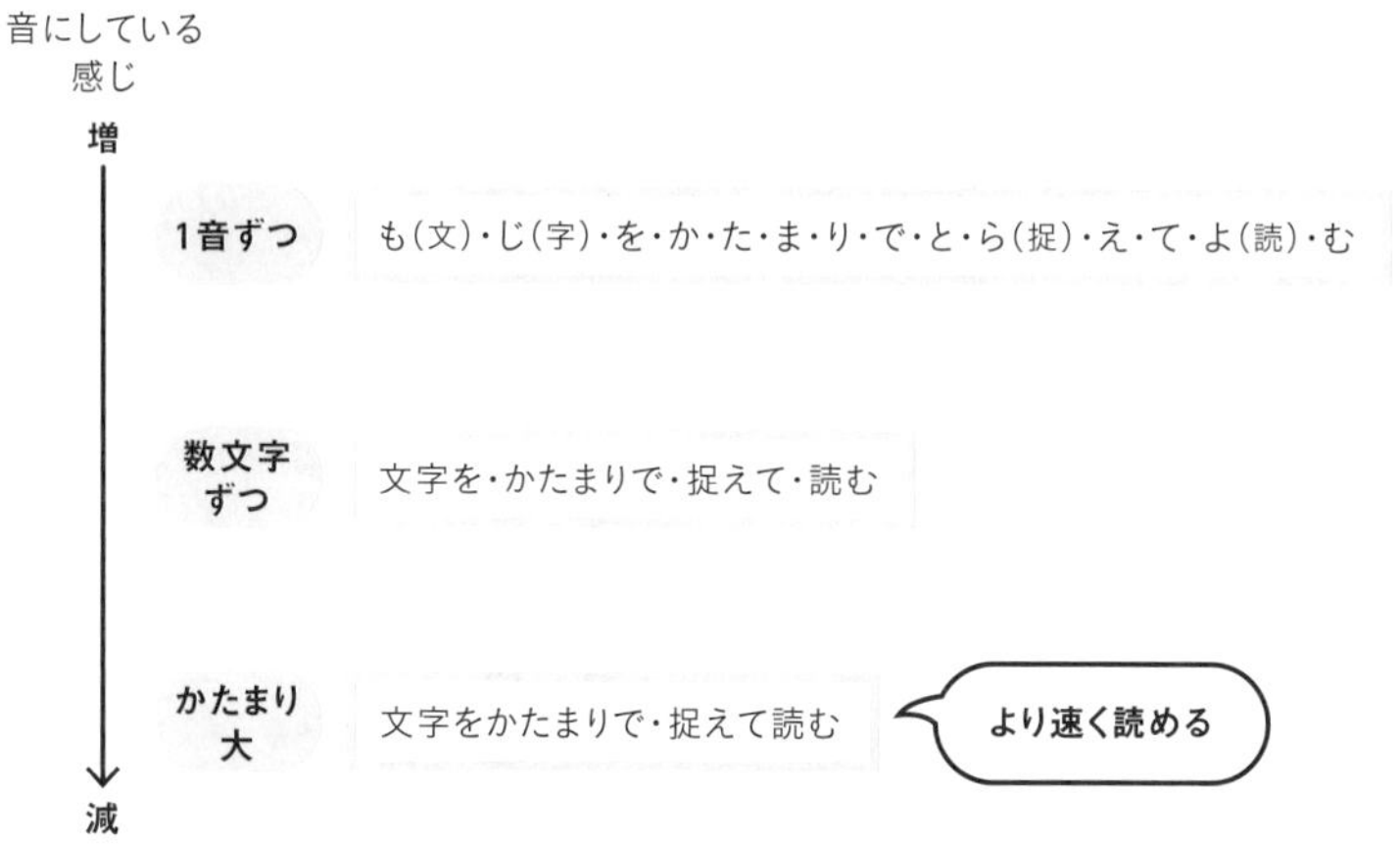
音にしている感じ
増
減
1音ずつ
も(文)・じ(字)・を・か・た・ま・り・で・と・ら(捉)・え・て・よ(読)・む
数文字ずつ
文字を・かたまりで・捉えて・読む
かたまり大
文字をかたまりで・捉えて読む
より速く読める

では、どうすれば「音にしない」で読めるのか？

まずは最初のステップ、「口を半開きにして読む」「舌を少し上げて読む」です。

そうすれば、口先で音にすることはなくなります。

「でも、頭のなかで音にしているんですが……」という人もいるでしょう。

まずはそれでも構いません。口を動かしていちいち音にしていたときよりも、確実に読むのが速くなります。

「でも、まだ、頭のなかで音になっている気がします」と思うでしょう。

安心してください。それで大丈夫です。

頭のなかの音は決してなくならないからです。

速読のなかには、文字を言葉でなくイメージとして捉える、そうやって見開き2ページでも一瞬で読めるというものがありますが、ウソです。

人間の脳は、文字を最終的には文字として捉えないと理解できません。音は最終的にはなくならないのです。音をなくすのではなく、いちいち音にするのをやめるのです。

行動＝

速く読むためのコツは、いちいち音にしないこと。そのために、口を少し開ける、舌を上げる。文字をかたまりで捉えること。

文字をかたまりで捉えれば速く読める

「ストック」あっての「かたまり読み」

「かたまりで捉えて読む（＝かたまり読み）」を具体的に解説しましょう。

この読み方は、その名の通り、文字をかたまりで捉えます。パッパッと視点が移動していきますから、それだけで読みが速くなります。

しかもいちいち音にしなくなりますから、その分も速くなります。

実は、この「かたまり読み」は、普段みなさんもやっています。

あなたはラーメン屋に入って、壁に貼ってある「みそラーメン」という文字をいちいち音にして読みますか？　かたまりで捉えて読んでいるでしょう。

本を読むときにも、このやり方を使うのです。

ただ、この「かたまり読み」をラクに、理解しながらできるようになるには、大事なことがあります。

それは、読もうとする内容について「知っている」ことです。

「いや、内容を知らないから本を読むんですけど……」

たしかに知らない言葉・内容はあるでしょう。試験勉強であればなおさらです。

でも、すべてをまったく知らないでしょうか？

そうではありませんよね。知っている言葉があったり、正確な意味はわからなくても読める言葉はたくさんあるはずです。

「かたまり読み」がすぐに実践できるステップ

1 見出しだけ見る

見出しは、わからない言葉もあるかもしれませんが、文章ではなく、かたまりでとらえやすく、「かたまり読み」に向いています。

2 わかるところだけ読む（飛ばし読み）

どんなに難しい本でも、少しはわかる部分があるでしょう。わかるところは「かたまり読み」がラクにできます。とりあえず、そこだけ読むのです。そのためには、飛ばし読みが不可欠です。

3 繰り返し読む

知らなかった言葉も、繰り返すうちになじんできます。最初よりもさらにラクにかたまりで捉えられます。

行動＝

「かたまり読み」のステップは次の3つ。すぐ試験勉強で実践できる。**1** 見出しだけ見る、**2** わかるところだけ読む、**3** 繰り返し読む。

03

「今すぐわかろう」としなければ速く読める

「わからない」を受け容れる

第3章ですでに説明しましたが、「今すぐわかりたい」という思いを手放すことも速読術の一つです。

「今すぐわかろう」としないで、いちいち音にしないでもラクに読める「わかる」部分と、そうでない「わからない」部分を分けて、読み進めるのです。

そうやって速く読むことを繰り返しながら、だんだん「わからない」ところが「わかる」に変わります。

たとえば、こんな変化です。

1 見出ししか読めない　2 本文の主語が読める　3 わからなかった文章のうち、一つは読める　4 文章どうしの関係がわかる　5 全部が読める

初対面の人に根掘り葉掘り聞き、相手のすべてをわかろうとはしないでしょう。何度も会ううちにだんだん相手のことを知り、関係を深めていけばいいのです。

「わからない」を受け容れ、いちいち音にせず、速く読み、繰り返す。これが速く理解・記憶するのに必要なのです。

行動＝

今すぐわかろうとすると、いちいち音にして読んでしまいがち。「わからない」を受け容れ、繰り返すなかでだんだんとわかっていこう。

04

試験勉強で、記憶術は「目次」に活用せよ

記憶術は目次記憶に活用せよ

導入解説で触れましたが、記憶術の原理原則は「場所」と「イメージ」です。記憶したい知識は「イメージ」に変換して、「場所」と結びつける。これが人間の得意とする記憶を活用した方法です。

バラバラのトランプ52枚を十数秒で覚えてしまう記憶の達人。彼らが使っているのも、このやり方です。

たとえば、最初のカードが「ハートの4」だとしたら、「ハート」の「ハ」と「4」=「シ」で、「ハシ=箸」のイメージに変換します。

それを最初の場所、たとえば家の玄関に「箸」をズラリと並べるのです。

次のカードが、「スペードの1」なら、「スペード」の「ス」と「1」＝「ワン」で、「スワン＝白鳥」というイメージに変換します。

この「スワン＝白鳥」を次の場所、たとえば、家の廊下に走らせるのです。

ただ、試験勉強で扱う知識は抽象的です。「イメージ」に変換しづらく量も膨大です。このため記憶術の活用には向いていないのです。

ただ、**記憶術を活用してさっさと覚えることをおすすめするのが「目次」です。意味がわからなくても「目次」という柱を記憶してしまいましょう。**目次を記憶すると、いつでもどこでも繰り返し思い出せます。なじみのなかった言葉がだんだんと身近になり、わかるようになってきます。

また、目次は全体の地図です。ここを覚えると一気に試験全体の構造が見え、見通しがつき、どこを勉強しているかがよくわかるようになります。

さらに、目次が新たな知識の記憶、理解の足場にもなります。

特に、超難関試験だと科目数も多く、どこから手をつけていいのか途方にくれるかもしれません。そんなときこそ、とりあえず目次を記憶してしまいましょう。

行動＝

目次に「場所」と「イメージ」を使った記憶術を活用する。目次という試験勉強の全体の地図を覚えてしまおう。

05

頭の「外」に記憶する
――街を本にしてしまう

目次イメージ記憶はバカバカしさに耐えられるか

ここでは、「目次イメージ記憶法」の手順を、具体的に説明しましょう。

「場所」として使いやすいのが、あなたがよく歩く道です。

たとえば、自宅から最寄りの駅までの道です。その道にある建物などを（イメージ変換した）目次項目を置いていく場所として使うのです。

私の例でいうと、1自宅扉―2外廊下―3階段―4 1階集合ポスト―5マンションドア―6ごみ収集所―7 1階介護事業所―8事業所前の自販機―9駐車場―10隣の畑……となります。

目次イメージ記憶法はこうして行う（「財務会計論」の目次を例に）

目次項目をイメージに変換して、場所に置く

第2章　現金及び預金 →	①札束と通帳の束　が ①自宅扉　に貼り付けてある
1　現金 →	②100円玉や500円玉　で ②外廊下が埋め尽くされている
2　現金過不足 →	③穴が開いた100円玉や500円玉　で ③階段が埋もれている
3　小口現金 →	④たくさんの小さい札束　で ④1階集合ポストが満杯

この「場所」に目次項目をイメージ変換して置いていきます。

公認会計士試験の「財務会計論」を例にします。

右の図のように、目次項目をイメージ変換して、さきほどの「場所」に置きました。もちろん、変換するイメージに正解はありません。

場所によって目次の順番が明確になり、漏れがあってもすぐ思い出せます。

「イメージがバカバカしい……」と感じると思いますが、正解です。

この記憶法のポイントは、そのバカバカしさに耐えられるかです。きれいなイメージにこだわることは、覚えるうえで致命傷になります。

とにかく、少しでもつながっていればいいのです。目次項目をイメージ変換したとき、最初に浮かんでくるものをそのまま使いましょう。

イメージと場所を使って、目次項目を取っかかりだけでも覚えてしまってください。少しでもつながれば、自然と思い出し、覚えられるようになるのです。

行動＝

目次項目から連想するイメージを、通い慣れた道などの場所に置いていく。どんどんバカバカしいイメージを使う。

解説動画

記憶はつながり。とにかくつなげまくる

つながりが多いほど思い出せる

覚える量が少ないほど覚えやすいので、私も問題集やテキストは薄いものをおすすめします。一方、覚える量が多いほど覚えやすいこともあるのです。

たとえば、初めて会った人の出身地や住所、趣味など、情報を知れば知るほど、その人のことを思い出しやすくなるでしょう。

「覚える」というのは「思い出せる」ことです。そしてそのとき、何かと何かがつながっているから思い出せるわけです。つまり、覚えるとはつながりを強いものにすること。そのつながりが多いほど、思い出せるルートが増えるわけです。

だから、解説の少ない問題集などは、つながりが少ない分、薄くても覚えにくかったりするのです。

試験勉強では、とにかくあれこれ「つなげる」ことを意識しましょう。

たとえば、「税効果会計」の勉強中、税務署に勤めているおじさんを思い出したら、すかさず、そのおじさんと内容をつなげます。そうしておくと、おじさんに紐づいた「税効果会計」の中身が思い出しやすくなるのです。

「７９４（なくよ）ウグイス平安京」などの語呂合わせも、語呂で新たな情報をつなげて思い出しやすくしているのです。

場所とイメージを使った記憶術もそれらでつながりを作っているわけです。

つながりがあるから思い出しやすくなり、思い出すことでそのつながりは強くなり、さらに思い出しやすくなる。勉強は好循環にハマるのです。

行動＝

思い浮かんだイメージでも、語呂合わせでも何でも、とりあえず、つなげていこう。つながりが多いほど思い出せるようになる。

07

勝手に繰り返しが増える仕組みを作る

繰り返しこそが記憶の特効薬

「この1回で覚えてくれ！」

こう脳にいい聞かせても頭に入りません。

「繰り返し」が覚えるために役立つのです。何度も目にするものであれば、脳は重要だと思い、覚えてくれます。

逆に、繰り返し出てこなければ忘れていきます。忘れる（＝捨てる）ことで、脳は勝手に頭のなかを整理してくれているのです。

ある司法試験合格者は、私の勉強法で最も役立ったのが、「繰り返しは必要、

繰り返しを増やす方法

- 全科目の問題集・テキストの目次だけをコピーする。それを一つにして1日1回は回す
- トイレ・洗面台に目次を貼る。「一瞬見て思い出す」を1分間繰り返す
- 台所の壁にクリアファイルを貼って、勉強したい科目の目次をはさみ（簡単に交換可能）、料理・洗い物中に見る
- 見出しをプロッキーで囲み、目立たせる（見出しだけの繰り返しに効果的）
- なじめないキーワードを問題集などの余白にプロッキーで大きく・太く書く（すぐ目に入る）

避けられないものだ」と気づいたことだと話してくれました。

それまではできるだけ繰り返しを減らそうとし、1回で覚えられないと落ち込んでいたそうです。

でも、「繰り返しは必要なのだ」と腑《ふ》に落ちてから、淡々と繰り返すことができて、どんどん記憶できるようになったというのです。

試験勉強では、繰り返しを減らすのではなく繰り返しをラクにたくさんできる方法を考えましょう。

たとえば、勝手に繰り返しが増

える仕組みを作るのです。古典的なやり方ですが、トイレや家の壁に覚えたいことを紙に書いて貼るのは非常に有効です。

私は横になっても繰り返せるよう、天井に貼っていたこともあります。文字を大きく書くだけでも、認識スピードは速くなります。

その他、聞くことも勝手に耳から入るので、ラクに繰り返しを増やせます。キーワードの定義をボイスレコーダーに録音して、流し聞きをする、音声読み上げアプリを使って、重要な基準や法律を聞く……。

繰り返しを減らそうとがんばるより、ラクに増やす仕組みを作りましょう。

行動＝

ラクにたくさん繰り返すために、家の壁に覚えたいものを貼る、文字を大きく書くなどをする。勝手に繰り返しが増える仕組みを作る。

08

丸暗記せずに理解＝スラスラ語れるようにする

「暗記」か？　「理解」か？

「暗記（理解なしの記憶）」と「理解」はどちらが大事でしょうか？

結論からいえば、「暗記」も「理解」もどちらも欠かせません。（暗記も含め）記憶するから理解できる／理解するから記憶できる、という互いになくてはならない存在なのです。

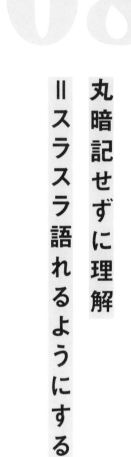

「理解」しても覚えていなければ点数に結びつきません。そもそも「理解」するためには、その土台となる言葉などの記憶が必要です。

言葉や知識をたくさん覚えていれば、ワーキングメモリの負荷が減ります。考える余裕が生まれ、理解が深まるのです。

また、「暗記」だけでは、試験範囲すべてを覚えることはできません。「理解」を活用することが不可欠なのです。

理解するから記憶できる

ところで、何ができれば、「理解した」といえるのでしょう？

自分で説明できれば「理解した」といえるのではないでしょうか。たとえば、こんな感じです。


「〇〇とは……」とキーワードについて説明できる。

「□□の問題を解くには最初に……次に……」と解答プロセスを説明できる。


「理解」とは、必要に応じて情報を展開できることです。普段は情報を圧縮しておけるので、ワーキングメモリにかける負荷が少なくてすむのです。

こうして「理解」をうまく使えば、試験勉強で必要な膨大な情報・知識を記憶することもできるのです。

記憶が進めば進むほど理解が進む。理解が進めば進むほど記憶が進む。記憶と理解のよい循環を生み出すことで、試験勉強は加速していくのです。できる範囲で、キーワードや解答プロセスをどんどん説明していきましょう。そのときに効果的なのは、次の言葉です。

「つまり」「要するに」といった抽象化を促す言葉
「たとえば」「具体的に」といった具体化を促す言葉

「つまり……」「たとえば……」を口ぐせにしましょう。

行動＝
試験勉強では「理解」こそが最高の記憶術。「つまり……」「たとえば……」を駆使して、どんどんキーワード、解答プロセスを説明する。

速読術も記憶術も「ストック」がカギ

「ストック」があるから速く読める・記憶できる

速読術も記憶術も「ストック」が大きなカギを握ります。「ストック」とはこれまでの知識、経験といった記憶のことです。この記憶があるから、知っている本は速く読めるのです。

また、記憶はつながりです。「ストック」があるほど、新しい情報・知識が結びつきやすくなります。結果、記憶も速くたくさんできます。

では、どうやってこの「ストック」を蓄えていけばいいのか？

いうまでもなく、速読術、記憶術が非常に有効な方法なのです。

速読術を使えば、これまでよりあなたは速く読めます。読むスピードが上がるので、同じ時間でこれまで以上に「繰り返し」ができます。その結果、脳はそれを重要だと判断して、記憶しやすくなります。「ストック」が増えるのです。

これ以外にも、「目次イメージ記憶法」を使ったり、「語呂合わせ」でもいいので、新しい知識を強引にでも、すでにある記憶と結びつければ、「ストック」は増えます。

このように、**速読術や記憶術は、「ストック」を増やすことに役立てましょう。**

行動＝

勉強を成功させる一つは「ストック」を増やすこと。速読術で繰り返しを増やし、記憶術で結びつきを増やす！

第5章

「勉強しない自分」を変える法則

導入解説

人は変わらないように努力している

人は変化を恐れて変わらない

今まで勉強をほとんどしなかった人が、勉強しだすと、周りはびっくりします。

そして何より、びっくりするのは当の本人です。

「勉強しない人」から「勉強する人」になるわけです。

いくら自分が望んでいたとしても、これまでと違う人になるのですから、これは大きな変化です。

人は変化を望みながらも、変化を恐れます。

このため、せっかく「勉強する人」に変わろうとしても、なんとも居心地が悪くなり、元に戻りがちになるのです。

まずは、この元に戻ろうとする力がかなり大きいことを知っておきましょう。

揺り戻しが起こることを、あらかじめ覚悟しておくのです。

リミッターを外す

人は、新しいことをしようとすると常にブレーキをかけます。これは、自分を守る働きともいえるのですが、それにより変化を止めてしまいます。

また、人は失敗を重ねると、「どうせダメだ」とあきらめてしまうようになります。ブレーキをすぐ踏むことを覚えてしまうのです。

これは「学習性無力感」といわれますが、今まで勉強や試験で失敗してきた人ほど、ブレーキを踏んでいる可能性が高いのです。

「ノミの法則」というものを聞いたことはありませんか。

高くジャンプすることができるノミ。しかし、コップに入れられふたをされて、何度も頭をふたに打ちつけていると、ふたがなくなってもコップの高さまでしか

コンフォートゾーンから出る

脳のリミッターを外す
勉強しない自分
居心地がいい場所
勉強する新しい自分へ
限界突破

飛べなくなってしまうのです。

あなたも本当は高くジャンプできるのに、自分でわざわざ「ここまで」というリミットを設定しているだけかもしれません。

あなたが結果を出すためには、がんばる必要はありません。

ただ、**さんざん踏んできたブレーキ、いわば、リミッターを外せばいいのです。**

そのリミッターを外すカギは、何よりあなたが日々使っている言葉にあります。

第5章では、具体的にどんな言葉を使って、自分を変えていけばいいのかをお教えします。

一つずつ、合格《う》る口《か》ぐせを増やしていく①——「ほんの少しでも」

「ほんの少しでも」

あなたが毎日いちばん聞いている声はあなた自身の声です。心のなかであなたが話している声はあなたの「思考」です。

マザーテレサに「運命を変える」ためのステップを伝えた言葉があります。

「思考に気をつけなさい、それは、いつか言葉になるから」

「思考」、つまり、あなたが心のなかで話している言葉を変えていくことが、あなたの行動や習慣、運命を変えます。

その「思考」のなかで、最初に変えてもらいたいのはこれです。

「全然わからない……」はやめて、「ほんの少しでもわかることは？」に変える

です。

（第2章04参照）のです。勉強中は、「全然……」を、「ほんの少しでも」に変えるの

そうすると、前向きになり「ほんの少し」かもしれませんが、わかることが見えてきます。とはいえ、簡単ではないので練習が必要です。

このクセづけのためには、毎日1日の終わりに「今日よかったことを3つ挙げる」こと。

よかったことが3つ浮かびそうにないときでも、「ほんの少しでも」を使い、よかったことを探しましょう。この言葉を使い、「勉強する人」になるのです。

行動＝

あなたの運命を変えるのはあなたの「思考」、つまり、あなたが使う言葉。「ほんの少しでも」を使うクセづけをする。

一つずつ、合格《うか》る口ぐせを増やしていく②
――「とりあえずやってみる」

「とりあえずやってみる」

15年ほど前、数百億円もの資金を扱うトレーダーの方のコーチングをしました。途中、スランプに陥ったこともありましたが、最終的には大きな成果を上げられました。

コーチングを終えるにあたって、この方にいちばん学びになったことを聞きました。

そのとき出てきた言葉が、「とりあえずやってみる、ですね」でした。

正直、私は少し拍子抜けしました。でも、彼の話を聞きながら、この言葉は、本当に彼にとっては大きな学びがあったことがわかりました。

コーチングでは、セッションの最後に必ず、次までにやっておく行動を決めます。そこで決めた多くの行動のなかには、プライベートでのちょっとした行動もありました。


やろうかな、どうしようかなと思っていたことを、ほんの少しでも、「とりあえずやってみる」ことにして動いてみる。そうやって行動すると、必ず何かしらの体験が得られます。それが確実に次の一歩につながるのです。

人は行動する前にあれこれ考えます。もちろん、準備は大切です。しかし、考えすぎて何もしないのは大きなリスクです。実体験を積むことは、動きながら考えることになるので、経験値に加えて考える力も得られます。結果的に速く、確実に進むことができるのです。

「とりあえずやってみる」こと。それを続けるなかで、「勉強する自分」に変わっていくのです。

行動＝

あなたが動くことで、行動力はもちろん、経験も増え、考える力も高まる。
「勉強する自分」「結果が出る自分」に変わる。

03

やる気がなくても、キッチンタイマーを3分セットして始める

「とりあえず3分だけ……」でも始めよう

「うーん、気が乗らない、やる気にならない」

そんなときは、キッチンタイマーを3分セットし、スタートボタンを押しましょう。とりあえず3分間は試験勉強に取り組むのです。

「3分は長い……」と思うなら、1分でも構いません。

「勉強しないと……」と思いながら何もしない3分と、試験勉強に取り組んだ3分とでは、後々大きな違いを生み出します。

3分とはいえ、試験当日にめざす状態にわずかでも近づくのです。

第3章03で説明した通り、**「やる気」は「やる」ことから生まれてきます。**

3分経って、やめようと思わなければさらに続けていきましょう。

そこで、「とりあえず、もう3分」と再度タイマーを設定してもいいですし、「今度は5分」に挑戦してもいいでしょう。こうやって、目の前の3分だけに集中してとにかくやる。コツコツ勉強を積み重ねるのです。

キッチンタイマーを今すぐ手に入れましょう。

家にあればそれを使ってください。なければ、百均でも売っています。合格のための投資と考えれば安いものです。

スマホの時間管理アプリを使う手もありますが、目の前のスマホはとにかく集中力を奪います。できれば避けることをおすすめします。

行動＝

やる気がなくても、とりあえずキッチンタイマーを3分セットする。3分だけは試験勉強に集中して取り組む。

04

「合格する自分」にさっさとなる

「セルフイメージ」を簡単に変える方法

ここで、あなたが「合格する自分」になるためのやり方を紹介しましょう。心理技法であるＮＬＰ（神経言語プログラミング）で開発され、ビジネスでも活用されている「ニューロ・ロジカル・レベル」です。

あなたのセルフイメージを無理なく変えてくれる手法です。そのキモは、あなたが想像しやすい環境や行動からだんだんと入っていくところにあります。

さっそく、1から順番に自分に問いかけつつ、イメージしていきましょう。

1 あなたはもう試験に合格しています。さて、「合格したあなた」がいる場所はどんなところでしょう。あなたはどんな服装をしているでしょう?

2 **1**の「合格したあなた」は、そこでどんな行動をしているでしょう? どんな姿勢、ふるまいをしているでしょう?

3 **2**の行動、姿勢、ふるまいをしている「合格したあなた」は、そこでどんな能力を発揮しているでしょう?

4 **3**の能力を発揮している「合格したあなた」は、どんな信念、価値観を持っているでしょう? 何を大切にして生きているでしょう?

5 **4**の信念・価値観を持つ「合格したあなた」は、何者でしょう? 「私は○○である」。一言で自分を表してみましょう。

6 **5**の「私は○○である」と自分自身を表現する「合格したあなた」はだれとともに生きているでしょう、どんな組織の一員として生きているでしょう?

7 **6**の仲間と一緒にいる、組織の一員として生きている「合格したあなた」は何者でしょう? 「私は○○である」と自分を表してみてください。

行動＝

セルフイメージは見えやすい、形がある、形に表れやすいものから変えていこう。ラクにムリなく変えられる。

※❶環境❷行動❸能力❹信念・価値観❺アイデンティティ❻自分を含むより大きな場❼アイデンティティ（再訪）という順番になっています。

「コツコツ継続」が最後に結果を出す

ほんの少しでも続けてみる

脳は常にラクをしようと怠けます。コツコツ継続が苦手です。

だからこそ、ほんの一歩を大事にするのです。

あなたがもし勉強できないなら、今日1日は問題集やテキストに触れるだけにしてください。ページを開いて勉強してはいけません。ただし、ずっと触れていてください。目次だけ破ってそれを握っているだけでもいいです。

「これが勉強になるの?」と思うかもしれませんが、勉強していなかったときよりは、確実に前に進んでいます。このことを強く意識してください。

継続を「あたりまえ」に

- LSD ＝ Long Slow Distance
  長い距離をゆっくり走る ＝ 焦らない! あきらめない!
- ハードルを下げまくる
- 前向きにやり続ける ＝「習慣化」

継続の持久力・底力がつく

実際は、ただ問題集に触れるのもキツいときはあります。私もそうでした。

でも、触れるだけならできるはずです。とはいえ、勉強が本当につらく「触れるのもイヤ……」という人がいるかもしれません。

そんなときは目次の1ページだけでも、手に巻いて、テープで軽く留めてください。これで触れざるを得なくなります。触れることがきっかけになり、少しずつでも勉強は進んでいきます。

また、耳で触れるのも有効です。とりあえず、スマホなどの読み上げアプリを使って問題集や関連する法令、基準などを流しても構いません。

ただし、つい誘惑に負けて音楽を聴いてしまう人は、今すぐ、音楽アプリなど、勉強に関係のないアプリは削除しましょう。

勉強できない自分を変えるためには、継続できない言い訳を探す前に、継続できる行動を探しましょう。ほんの少しでもいいので続けましょう。

行動＝脳はコツコツ継続して繰り返しさえすれば覚えてくれる。焦らず、基本はカメで、ときにはウサギにもなって、止まらず継続しよう。

06

困ったら紙に書き出せ、外に出せ

あなたの悩みはA4何枚あるか？

私は「コーチング」という仕事で、人の話を聞いて目標達成や成長支援をサポートしています。そのなかでよく聞く言葉があります。

「やらなきゃいけないことがたくさんありすぎて……」

重苦しい口調だったりします。でも、一つ一つ具体的に話をしてもらうと、実は「これだけでしたね」と、落ち着く場合がほとんどです。

忙しい日々のなかで、あなたもいろいろ抱えて大変なときはあるでしょう。話を聞いてくれる人がいないことだってあります。

そんなとき、1人でもすぐ簡単にできるのが、**悩みを紙に書き出すことです。**
具体的には次のようにやります。

1 紙はA4の白紙（裏紙でもOK）
2 使うのは鉛筆、できれば2Bなど軟らかいもの
3 始めに、右上に日付、左上に今いる場所を書く。それから悩みを書き始める
4 「えーと」「何を書いたらいいのか」という内なる言葉もどんどん書く
5 書いている手は決して止めない（文字ではなく線を描いてもOK）
6 10分経ったらやめて、眺める
7 眺めながら気になる言葉を○で囲んだり、線で結ぶ

※最後に、書き出した紙を手でビリビリと破って捨ててください！ 抱えていた悩みも消えていくはずです。

行動＝ 悩みは書き出して破ろう。そうすれば抱えていた悩みも消えてスッキリするはず。

第6章

時間のムダをなくす法則

導入解説

「速く」より「早く」行う

「すぐやる」人が結果を出す

試験勉強の大きな悩みは「時間」。人は常に効率的な勉強法を求めています。

しかし、時間を生み出す効果が大きいのは、「すぐやる」勉強法、いわば「早く」やる勉強法です。「速く」やる勉強法です。そんなの当然という人もいるかもしれません。

では、あなたは勉強しようと思った瞬間に、勉強を始めていますか？　勉強に取りかかるまで、5～10分はかかっていませんか？　下手をすれば、30分ほどして、ようやく勉強を始めているかもしれません。

勉強では、このちょっとした「先延ばし」が、大きなロスとなってくるのです。

すぐやる、「早く」やる勉強法が、時間を生み出すのです。

やることが明確ならすぐできる

では、どうすれば「すぐやる」ことができるのか？

それは「最初に行う動作」を、できる限り明確にしておくことです。

まずは、あなたが先延ばしにしていることを思い浮かべてください。

それをやるとしたら、「最初に行う動作」は何ですか？

わざわざ「動作」といったのは、「行動」よりもさらに粒《つぶ》感を細かくしたいからです。たとえば、「部屋の掃除」を例にしてみましょう。

まずは、「机の上を片づける」。これはまだ「行動」レベルです。

「机の上を片づける」にあたって、「最初に行う動作」は何ですか？

「机の上にあるペンをペン立てに置く」。これでようやく「動作」です。

「動作」とは、実際に体を動かしているイメージが一瞬で思い浮かび、実行できるレベルです。すぐに実行できないものなら、その「動作」をさらに分解しましょう。

「机の上にあるペンをペン立てに置く」ことをさらに分解すると、「机の前に立つ」「机の上にあるペンをつかむ」といった「動作」が出てくるでしょう。

すぐやれないのは、この「最初に行う動作」が明確になっていないからです。

「見出し」「目次」を見れば勉強をすぐやるようになる

では、試験勉強の「すぐやる」とはどういうことか？

手元に問題集やテキストがあれば、私が最初に行うのは、「目次を見る」「ページをパラパラとめくり見出しだけ眺める」ことです。

これを「最初に行う動作（＝基本動作）」と決めておけば、すぐ勉強を始められます。そうすると、問題集、テキストを手に取ることも迷いなくできるのです。

たったそれだけ？　と感じるかもしれません。しかし、早く勉強するのに非常に効果があります。ぜひやってみてください。

たくさん科目があるときは、「目についたもの」「やらなきゃと思ったもの」からやることです。その科目の問題集などをすぐ手に取るのです。

本書の「結果が出る」勉強法では、つぶしていく問題集、テキストは絞り込むので、机の上に十分並ぶ量になります。

「連結会計やらなきゃ」と思えば、目の前の連結会計の問題集を手に取り、すぐ目次や見出しを眺めるだけ。いたって簡単です。

続けて、問題集のなかには、具体的な問題が載っているわけですから、そのなかで気になったものに取り組むだけです。

脳はあれこれ理由をつけて先延ばしを図ります。これを乗り越えるためには、「やること」を明確にして「すぐやる」ことなのです。

次のページからは具体的に「すぐやる人」になるためのコツを紹介します。

01

「やる気がしない……」と、やる気を待っているのが時間のムダ

やる気があってもなくてもやる

「やる気があるから勉強する」と「やる気がないから勉強しない」は表裏一体です。これでは、勉強が「やる気」によって左右されてしまいます。

いわば、「やる気」の「奴隷」になっているのです。ここから解放されるためには、新たな前提を持ちましょう。

それは、**「やる気があっても・なくてもやる」ことです。**

こう決めてしまえば、あなたはもう「やる気」に振り回されず、「やる」の一択になります。後はもう、実際「やる」人になるだけです。

そのために、**やること自体のハードルを下げましょう**。

この本では、一貫してハードルを下げる工夫を書いてきました。

その工夫を思い出せますか？　思い出す「だけ」でも勉強です。これらはスキマ時間で行うことができます。

そのほか、本書ではとりあえず目次だけ、見出しだけ、わかるところだけ……など、さまざまな「だけ」を紹介してきました。

早速、本書の目次を眺めて見直してみましょう。目次を見直すだけなら、ほんの1分もあればできるでしょう。

このように、「**〜だけ**」は、行動のハードルを下げてくれます。すぐやる習慣をつけるためのお守り呪文のようなものです。口グセにしてしまいましょう。

行動＝

さまざまなことを「〜だけ」で埋め尽くそう。地味でも、これで次の一歩が踏み出しやすくなる。

02

「次は何を勉強しよう……」と考えているのが時間のムダ

「繰り返す」「思い出す」が時間を生み出す

「さて、今から何を勉強しよう……」と考えているなら、それも時間のムダです。すぐに勉強に取りかかれるよう、勉強する対象は徹底的に絞り込みましょう。

もちろん基本は、本書の「結果が出る」勉強法の芯となる「過去問題集」です。過去問題集をやっても、「どこまでやった？」と考えることも時間のムダです。

その点、本書の勉強法のコアは、ざっくり大量に繰り返すこと。これが脳のはたらきに沿った「報われる」努力だからです。このため、いつでもどこでも、どこから始めても構いません。

とりあえず、開いたページのところから見出しだけでもざっくり読み始めてください。こうすれば、すぐに勉強できるのです。

さらに問題集を開かなくても、実は今すぐ勉強は始められます。

そう、「思い出す」「語る」です。これらは「すぐできる」勉強法です。

さっきまで勉強したところについて、何を学んだか思い出し、語りましょう。

自分が気になる教科、単元の見出し、内容を思い出すのがいいでしょう。思い出し方のコツはP.211の通りです。

「思い出す」ことも立派な試験勉強で、すぐ勉強にとりかかれるので、時間に余裕ができます。その分、勉強時間が増え、理解・記憶も深まっていきます。

もっといえば、「科目名だけ、単元だけ、キーワードを3つだけ、正しくなくていい……」というように、**「思い出す」という行動のハードルを下げるだけで、まさにいつでも、どこでも勉強できるのです。**

行動＝

「何を勉強するか？」を考えるヒマがあれば、「思い出す」。自分の理解度がわかり、何を勉強すればいいかが自ずと見えてくる。

気になる教科、単元の見出し、内容の思い出し方

1 まずは受験する試験の科目名をサッと思い出せるようになる。

超難関試験でも10科目もない。科目名がスラスラ思い出せなくても、出てこなくても落ち込まない。問題集やテキストの表紙をすぐに見れば済む。まずはここから。

2 1が思い出せるようになったら、その中で気になる科目名を口に出す。

気になる＝なんとなく苦手な科目のはず。公認会計士試験ときの私は「管理会計論」。現在地の解像度を上げることにも役立つ。

3 2の科目名でも、特に気になる単元を問いかけながら思い出す。

特に気になる＝多くは苦手な単元のはず（私は「管理会計論」の「原価計算基準」「総合原価計算」）。苦手な科目や単元は思い出すのもキツい。

すぐ思い出せなくても落ち込まない。目次を見れば、気になる科目・単元は章タイトル、小見出しにある。思い出せなくても、目次で「これが気になっていた!」と強く反応できる。

目次をただ眺めるのはNG。ひとまず何も見ないで思い出すことがポイント。

4 3の単元で特に気になる内容を思い出していく。

ポイントは、**3**で洗い出した気になる単元名を、「○○とはどういうことか……」と説明しながら語ること。

語ると、「うーん」と言葉に詰まって出てこないことも。ここでも思い出せなくても落ち込まない。目次を見て気になる単元のページを確認しよう。

そのページには「こういう言葉があった……」とひっかかるキーワードもあるはず。そうするとすぐページを閉じて、今見た言葉も使って、「○○とは……」と説明し直す。

POINT

1 科目名→単元名（章タイトル・小見出しなど)⇒内容（キーワード、定義など）の順にだんだん細かいところに入っていく。

2 「思い出す」と「見る」をとにかく短時間で大量に繰り返す。

※×＝「がんばって思い出す」「理解・記憶しようと見続ける」
　○＝「ざっくり大枠からだんだん細かく思い出す」「パッと思い出す・見るをサクッと繰り返す」

03

「うーん」と考えているのが時間のムダ

「わかった！」は突然やってくる

「考えて」いるうちに、30分、1時間経っていた、なんてことありませんか。

しかしもし、あなたが「考えている」ことを頭の外に出しながら「考えて」いなければ、残念ながら、その「考えた」時間はムダです。

「考えている」ようで、あなたの脳は実は休んでいて働いていないからです。

あなたが頭の中で考えているとき、「ワーキングメモリ」はおそらくいっぱいです。ワーキングメモリにある数少ない情報を使って考えているだけ。

こんなとき、脳の同じ神経細胞のなかを電気がグルグル回っている状態です。

動いてはいても堂々巡り。空吹かしで、実質「休んでいる」状態なのです。

考えている時間はもったいない。わからなければさっさと飛ばして次にいきましょう。その先に、わからなかったことのヒントがあるかもしれません。

「わかった！」は思いがけず起こります。何かが降ってきたように、物事を理解できた経験をお持ちの方もいるはずです。

実は、わからないことは、脳が無意識下で考えてくれています。近年の脳研究では寝ている間、脳は記憶の整理などに働いていることがわかっています。昼間、あなたが理解・記憶を深めた知識が整理され、知識どうしがつながり、結びついていきます。つまり、あなたが寝ている間に、考えてくれているのです。

がんばって考えるのはやめて、脳に任せてしまいましょう。

行動＝

やるべきことは、脳が考えるネタ、つまり知識をたくさん蓄えること。繰り返し読み、思い出しながら「あたりまえ化」しておくこと。

04

「10分しかない……」とあきらめているのが時間のムダ

ゼロ秒でも勉強できる

勉強できない理由に、「まとまった時間がない」ことを挙げる人は多いです。この考え方があなたの時間をなくしています。

単純な話、「まとまった時間」が30分ないと勉強しない人と、10分あれば勉強する人では、明らかに後者が勉強時間は多くなります。

私は『ゼロ秒勉強術』（小著、大和書房、２０１７）という、試験勉強における「時間」「スピード」の重要性を説いた本を書きました。

このなかで、勉強はまさに「ゼロ秒」でできることをお伝えしています。

「時間がない」とボヤいている時間を、勉強時間に変えることができるのです。時間効率化にも「思い出す」は有効に使えます。「時間がない」といいそうになったら、すばやく、勉強内容を思い出し、語っていってください。あなたさえいれば、いまここでゼロ秒で始められます。行動のハードルを下げて思い出すうち、知識だってどんどん蓄えられます。

「知識が知識を創造する」。認知科学ではこのようにいわれます。蓄えられた知識が新たな知識を加速度的に生むのです。

あなたも、赤ちゃんのころは、言葉が話せなかったはずです。でも今、自由自在に日本語を話せていることを振り返れば、このことがわかるでしょう。

今試験勉強を始めた科目では、あなたはまだ「赤ちゃん」です。ほとんど何もしゃべれないかもしれません。しかし、いったん言葉を覚え始めると、似た言葉をすぐ覚えたりして、雪だるま式に覚えるスピードは速くなります。

つまり、**ゼロ秒で「思い出す」を繰り返すうちに、雪玉が転がるように、時間に余裕ができてくるのです。**

歩いている時間や電車やバスの待ち時間も、工夫次第で勉強できます。
こうすればスキマ時間にラクに勉強できるようになります。

行動＝

「まとまった時間がとれない……」とボヤいている時間を、勉強時間に変える。
逆に、「今日はたっぷり時間がある」と喜ぶのも時間のムダ。

「手元に何もない……」とあきらめているのが時間のムダ

何もないから濃い勉強ができる

手元に何もないときに勉強をあきらめるのはもったいないことです。問題集やテキストがないときこそ、自分がどれだけ理解・記憶できているか。自分の現状を知るチャンスだからです。自分と向き合う濃い勉強ができる時間なのです。

これまで学んだことを、何も見ないですぐに思い出してみてください。

実際、やってみると、なかなか思い出せないものです。

しかし、落ち込む必要はありません。

すぐに思い出せなくても、それを「問い」に変えていけばいいだけです。自分に問うことで、「○○って何だろう?」という思いが強くなってきます。

ここでも、まずは「科目名、単元、3つ」がキーワードです。科目名がスラスラ出てこなければ、「残りの科目名って何だろう?」という問いを立てるわけです。

「科目名ぐらいわかりますよ」という人は、「○○という科目は大きく3つに分けられる。その3つとは?」という問いを立てましょう。

「連結会計」が気になるなら、「連結会計を大きく3つに分けるとしたら」「連結会計の重要論点を3つ挙げるとしたら」という問いを立てましょう。

こうした探求心こそが問題集、テキストを開かせる力になり、開いて読んだときに、「そういうことか!」と理解や記憶を強めるのです。

また、きちんと思い出せなくても、あやふや、不正確でいいので語ってみることも大事です。

学んだことを思い出し、恐れずに「自分の言葉」で語っていくうちに、内容への理解、記憶が深まります。本物の知識として身についていきます。

「自分の言葉」とは、問題集やテキストの解説どおりの言葉でなくてもいい、ということです。そのほうが、理解が深まり、記憶が強まるからです。

自分の体験、「あたりまえ化」した知識・言葉と結びつくことで、学んだ知識の理解・記憶も進むのです。

ただ、最終的には**問題集やテキストの解説の専門用語が「自分の言葉」となり、その用語を使って語れるようになれないと合格できません。**

そのためにも、そうした用語が出てくる目次、見出しを何百回、何千回と繰り返し見て、「あたりまえ化」することが必要になります。

行動＝

「自分の言葉」で語る。目次、見出しを繰り返し眺め、思い出す。そうした地道な積み重ねが、合格を勝ち取る力になる。

06

いちいち「美しい」ノートを作っているのが時間のムダ

美しいノートを作っても合格できない

『東大合格生のノートはかならず美しい』（太田あや著、文藝春秋、２００８）という本がありました。ただ、私も東大合格生でしたが、ノートは作っていませんでした。

美しいノートをとるには、内容を深く理解することが必要です。よほど頭のいい人でなければ、いきなり美しいノートなんて書けません。

美しいノートを作ろうとすれば、ほとんどの人は時間がかかるでしょう。たとえ、そのノートができたとしても、繰り返し読んで、理解・記憶を深める時間はなく、合格に結びつかないのです。

解答解説は「書きかけの」ノート

私のおすすめは問題集やテキストを「ノート」にしてしまうことです。問題集の解答解説やテキストは「書きかけの」ノートだと思ってください。それを編集することで自分だけのノートを作るのです。

まずは「見出し」をつける
「見出し」を変える
「見出し」を見やすくする（大きくする、色を変えるなど）

などが第一歩であり、最重要です。

区切りとなるような部分に横線・縦線を引くのも立派な「編集」作業です。最近のビジネス書では、本文中の重要部分を太字にしたり、色づけしたりするものも増えていますが、これも「編集」の一つです。

問題集やテキストの本文のキーワードを○で囲むのもよいでしょう。

ただ、いきなり最初から線を引きまくるのはやめましょう。

読み始めると、すべてが重要に思えたりすることもあります。そのタイミングで線を引くと、やたら線が多くなって見にくくなるので、ご注意ください。


問題集やテキストをノートと思って、編集しましょう。ゼロからノートを作るより、圧倒的に労力が少なく済みます。その分、勉強時間も増やせるのです。

「ノートを作ったけれども力尽きた……」なんてことは起こりません。「合格」するには、これが効率的な方法なのです。

ノートを作るなら、「間違い」ノート

一方、**作っておきたいノートがあります。「間違い」ノートです。**問題集や模試、答練、日々の勉強に取り組むなかで、いつも間違ってしまう論点を書いておきます。これを後で見返すのです。

ここでも「美しい」ノートにする必要はありません。ノート作りに時間を費や

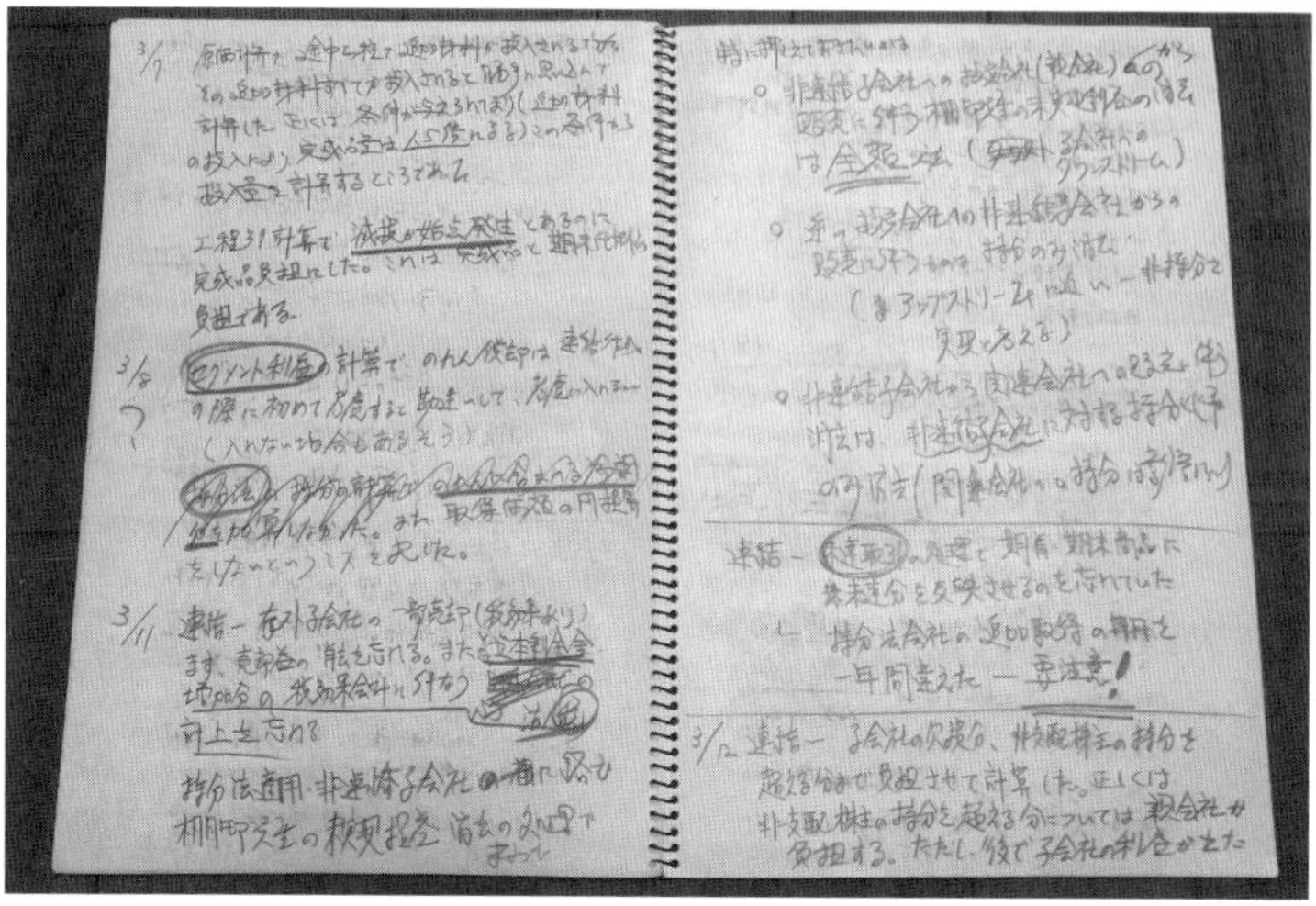

間違いノート

すのは本末転倒です。

エクセルでキレイに整理するのもやめましょう。繰り返し見るには、紙のノートがおすすめです。めくりやすいリング式ノートがいいでしょう。

作る時期は試験本番の3ヵ月ぐらい前からで十分です。そのころには、過去問題集や答練、模試などもたくさん解いていると思います。「またやっちゃった！」という間違いやすいポイントが出てきているでしょう。

それを時系列に順番に書くのです。そして、毎日必ず1回は見返しましょう。私は毎朝、計算科目の勉強が終わった後に、必ず書いて見返していました。

試験勉強の本質は、できないことができるようになることです。「間違い」ノートは、そのプロセスに直接働きかけ、できることを増やしてくれます。

行動＝

おすすめは、問題集をノートにすること。ノートを作るなら「間違い」ノート。

第7章

試験別「あたりまえ化」の法則

第7章は左ページから
読み進めてください。

2　択一式試験の「あたりまえ化」の法則

①基本は過去問の「あたりまえ化」

過去問だけだから合格する

- 択一式の勉強は、思い切って過去問「だけ」にすることで、合格が近づく!
- 範囲と質のトレードオフが働いている。過去問以外に手を広げると、勉強の回転量は減る。記憶・理解の質の低下のリスク。
  →勉強の範囲を広げる＝質は低下する

POINT1

過去問は最低10〜20回分やる。科目別試験:10回分、それ以外の試験:20回分。

科目別試験は科目ごとに時間を区切って行われる試験。(例)司法試験、公認会計士、中小企業診断士など。1回あたりの問題数が多い。

それ以外の試験は、全科目がひとまとめで出る試験。(例)宅建士、行政書士、社会保険労務士など。1回あたりの問題数が少ない。

POINT2

択一式の勉強は過去問を「つぶす」のが基本。予想問題集は×、△、超難関試験では答練・模試も活用。

本試験は出題傾向が変わったり、法律などの制度も変わる。それでも、過去問が本試験に最も近い。予想問題集は、本試験と微妙に〝匂い〟が違う。答練の一部、模試では本試験よりもマニアックな論点が問われ、難易度が上がる傾向がある。

・司法試験や公認会計士試験などの超難関試験では、予備校の答練・模試に取り組む必要はある。(注)解きっぱなしにせず、勉強の回転対象に加え、「あたりまえ化」しよう。その余裕がなければ過去問(計算科目ならテキストの例題)に集中。
・アメリカのビジネススクール受験のとき、私もGMAT(論理思考力などを測る英語の試験)の予想問題集を購入。しかし本試験とは何か〝匂い〟が違って、役立たなかった。

1 試験について知る

① 択一式・計算科目・論文式の違い

試験の主な3つの形式。

択一式	選択肢から正しい肢、誤った肢を選ぶもの。文章の穴埋め問題では、候補となる用語が与えられる。正誤の選択肢の個数を選ぶものなどもある。最近は、ほとんどの試験がこの形式。
計算科目	事例・設例に沿って、具体的な計算を行うもの。 (例)公認会計士試験の「財務会計論」「管理会計論」「租税法」、簿記試験などが典型。大学受験なら、「数学」や「物理」など。
論文式	長文の文章を書くもの。超難関試験にはつきものだが、論文式試験はかなり限られる。 (例)司法試験や公認会計士試験。大学受験なら東大などの2次試験。

試験形式の違いでめざす状態も違う!

試験当日にめざす状態

共通

勉強してきた問題集やテキストの内容を「こんなの常識」と「あたりまえ化」する。

択一式

正誤判断に必要な知識を素早く、確信を持って思い出し、判断できる。

計算科目

何の問題か特定し、解答プロセスを素早く思い出し、当てはめて計算ができる。

論文式

書くために必要な知識を的確に思い出し、正確な言葉・定義で論理的に書ける。

択一式・計算科目・論文式に求められる記憶の種類

択一式

「再認記憶」→提示された言葉・文章が勉強した内容と一致するか思い出すこと。

計算科目　　論文式

「再生記憶」→提示された言葉・文章から関連する内容を思い出すこと。
計算科目では解答プロセスを思い出すこと。

＊再認記憶より再生記憶のほうが難易度は高い。

試験形式別の「あたりまえ化」の方法の概要

- 択一式：基本は「過去問」だけを徹底的に。「読む」「思い出す」「語る」の3つの基本動作をシンプルに繰り返すだけ。
- 計算科目：数値、数式が多い。言葉を補充し、解答プロセスを整理することが必要。
- 論文式：試験本番で書けるようになるには長文の正確な理解・記憶が求められる。焦らず、3つの基本動作をざっくり繰り返し、だんだん細かいところへ入る。

③過去問の「消し方」〜「あたりまえ化」は「消す」「留める」で加速

- 「不要なところ」「あたりまえ化したところ」を消せば、繰り返しが一気にラクになる。
- 消すために使うペンは太めの「プロッキー」(水性ペン)がおすすめ。色はなんでもいい。消せないのが不安なら、フリクションペンでもOK。とにかくあなたが消しやすいペンを使って少しでも消す。

過去問を「消す」5つのステップ

STEP1 最初から「こんなの常識!」という箇所は消す

選択肢のなかには、明らかに誤りのものもあるので、さっさと消す。

STEP2 繰り返し出てくる選択肢・説明を(だんだんと)消す

試験では同じような問題が何度も出題されるので、問題集では同じような問題が並ぶが、重要な論点だから、焦って消さない。「もういいよ!」と思ったら消していく。

STEP3 正誤を判断する理由と関係ない説明を消す

繰り返すうち、「ここを覚えれば正誤判断できる」箇所が絞られる(=「押さえるべき知識」)。それ以外の不要な説明は、読む時間がもったいないので消す。

STEP4 「こんなことをわざわざ聞くなよ!」と思う箇所を消す

繰り返すうち、一瞬で正誤判断できる「あたりまえ化」した知識が増える。試験本番まで1ヵ月を切れば、ちゃんと語れるかを確認したうえで消す。読む箇所が減り、勉強が加速する。

STEP5 見開きページをすべて消せたら、ホッチキス留めする

理解が進めば、見開きすべてを消せるページが出てくる。そこをホッチキス留めしてしまう。ページをめくる不要な手間・時間もなくなり、繰り返しが増え、「あたりまえ化」が加速する。

解説動画

2　択一式試験の「あたりまえ化」の法則

②「あたりまえ化」は選択肢の一つ一つずつ

過去問の勉強の取り組み方の基本

選択肢の一つ一つを独立した問題と捉える

「一瞬」で正誤判断ができるまで繰り返し記憶・理解する

「一瞬」で正誤の理由を説明できるまで、繰り返し記憶・理解する

これが択一式で「選択肢の一つ一つをあたりまえ化する」ということ!

「あたりまえ化」までの6つのステップ

STEP1　出てくる言葉になじむ

最初は意味がわからない言葉でも、すぐにわかろうとせず、見慣れること。

STEP2　主語と述語を○で囲んでつなぐ

とりあえず、長い文章、わからない文章は主語と述語だけにフォーカスして○で囲んでつなぐ。形容詞、条件などがついた長い文章をすべてわかろうとしなくてOK。

STEP3　文章に「／」（スラッシュ）を入れて区切る

「……という場合」など、条件が入っている長い文章は切れるところに「／」を入れる。「、」がある場合も「／」を入れて区切りを目立たせる。

STEP4　間違っている部分を正しく直す

ざっくり繰り返し、書き込みながらだんだん文章の意味が理解できてきたら、誤った選択肢の間違っている部分は、正しく直しておく。

STEP5　「あたりまえ化」する、「押さえるべき知識」を絞り込む

正誤判断のカギとなる知識＝「押さえるべき知識」を洗い出す。たとえば試験出題者になったつもりで、正しい選択肢を誤った選択肢にするために変える部分を考え、○で囲む。

STEP6　選択肢を見た瞬間、正誤判断し、理由を説明できるまで基本動作を繰り返す

最後は、ひたすら「瞬解」（一瞬で解答）、「瞬説」（一瞬で説明）まで、「あたりまえ化」の法則の基本動作（＝「読む」「思い出す」「語る」）を繰り返す。

解説動画

⑤過去問題集は必ず見開きタイプを選ぶ!

問題集には「見開きタイプ」・「表裏タイプ」がある。

POINT1

問題と解答解説が見開きのもの!

※左ページに問題、右ページに解答解説がある。

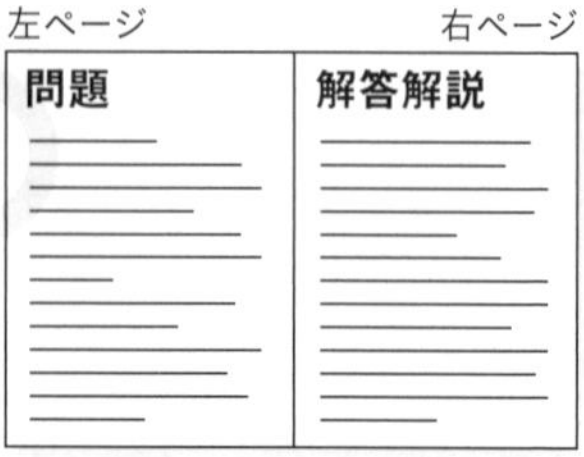

左ページ
右ページ
問題
解答解説

POINT2

問題の裏に解答解説があるものは使わない。勉強の効率が下がる。

※問題と解答解説を同時に見られない。頭に負担がかかる。
※解答解説を見るためにページをめくる必要がある。

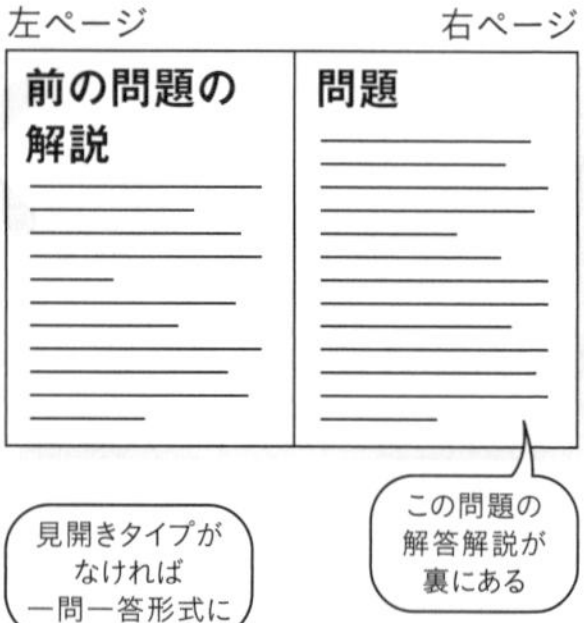

左ページ
右ページ
前の問題の解説
問題
この問題の解答解説が裏にある

POINT3

問題の裏に解答解説がある問題集しかない場合は、一問一答形式を選ぶ。

※一問一答形式はほとんどが見開きタイプ。
※一問一答は実際の問題形式と違う。それでも、見開きのほうが圧倒的に大事。

見開きタイプがなければ一問一答形式に
問題
解答解説
○
×
×
1問ずつ問と答えが対応

Q　過去問は何回繰り返せばいいの?
⇒「あたりまえ化」まで、ざっくりでもどんどん繰り返す。

Q　どう読めばいいの?
⇒問題文、解答解説の区別なく、読めるところから読む。問題→解答解説の順番に読む必要はない。

2　択一式試験の「あたりまえ化」の法則

④過去問題集は「項目別」問題集から始める！

過去問題集は、大きく分けて二つの形式がある。

「項目別（分野別）過去問題集」（過去問を項目別に整理）
⇒基本はこちらをおすすめ！

「年度別過去問題集」（過去問を年度順に掲載）

項目別過去問題集のポイント

1 同じような問題を一気にたくさん見られるため、問題の切り口やパターン、レベル感がわかる。

2 同じような問題が続くので取り組みやすく、勉強のハードルが下がる。

3 「わかったつもり」「覚えたつもり」になりやすい。「語ること」ができるか、年度別過去問でも同じように解けるか、確認が必要。

年度別過去問題集のポイント

1 本番の試験そのものであり、実際の試験の状況を経験できる。

2 問われる知識がいきなり全範囲なので、「いきなり過去問・とりあえず過去問」で勉強の最初に取り組む対象としてはハードルが高い。

3 項目別では解けた問題でも、年度別では間違えることも。「わかったつもり」「覚えたつもり」の知識・選択肢・問題をあぶり出せる。

4 取り組む必要は絶対ではない。取り組むなら、項目別過去問をほぼつぶし終わった段階の最終チェックとして。

3　計算科目の「あたりまえ化」の法則

①過去問よりテキストの例題

「とりあえず過去問・いきなり過去問」は計算科目では非効率。ハードルが高すぎる。

なぜなら、計算科目の問題は択一式試験でも複数の知識の組み合わせだから。

計算科目のテキストには必ず一つ一つの論点ごとに例題がある。これを「あたりまえ化」する。

POINT

過去問は大事だが、計算科目は過去問だけを繰り返してもできるようにならない。計算科目の問題（特に総合問題）は複数の論点が複雑に組み合わさっているため。一つ一つの論点を理解・記憶していないと、繰り返してもただ混乱するだけだから。

たとえば、公認会計士・択一式試験「財務会計」の連結会計の「総合問題」には次のような、さまざまな論点が組み合わされている。持分法適用、外貨換算、税効果、有価証券評価差額金、途中取得・売却など。連結会計の基本やこういった個別の論点が固まっていないと混乱するだけ。

ここで使えるのが、テキストに出てくる**例題。これを「あたりまえ化」する。**

一つ一つの基本論点を理解・記憶すれば、自然とムリなく応用論点、総合問題もできるようになる。

2　択一式試験の「あたりまえ化」の法則

⑥択一式試験当日の取り組み方

Q　理論問題と計算問題の両方が出たら、どちらから先に解けばいい？
⇒決めた時間内で理論問題を先に解く!
(例)公認会計士試験の「管理会計論」「財務会計論」など。

Q　計算問題の注意点は？
⇒前から順番は×。解けそうな問題から。難問にハマらない。
⇒予測が外れたり、苦手分野でドツボにハマりそうならさっさと見切る。別の問題に取り組む。

択一式試験（理論）当日のステップ

1 問題文を見て、何についての問題か確認する(キーワードを○で囲む)。
2 正誤のどちらを選ぶかなど、求められていることを確認する(下線を引く)。
3 選択肢をざっと読む。確実に誤りと判断できるものから×をつける。
4 残った選択肢で誤っていそうな箇所を○で囲む。
5 選択肢を絞り込み終わって、答えが出せなければ次の問題に取り組む。
6 最後まで解いたら、最初から1問ずつ、次のように印をつけていく。
　1)◎＝「こんなの聞くなよ」と確信があるもの。
　2)○＝確信はないが一つに絞り込めているもの。
　3)△＝まだ一つに絞り込めていないもの。
　問題単位で1)～3)の印をつけながら、選択肢単位で確実に誤りと判断できたら×。
7 6を一通りやったら、◎と○の問題は飛ばす。△に集中する。
細かく選択肢単位で正誤判断し、少しでも正解の確率を上げる。

※計算問題より先に、まずは決めた時間内で素早く理論問題を片づけよう。
※理論問題は前から順番に取り組む。計算問題よりも難易度の幅は狭い。難問に時間を取られるリスクも低い。

超重要!

「あきらめたら、そこで試合終了」。最後まであきらめない。選択肢単位で細かく正誤判断して、少しでも正解確率を上げる。選びさえすれば当たる可能性はある!

③できる人の「下書き」を見る

「下書き」は、解答プロセスと実際の解答を結びつける架け橋。

- □「下書き」の活用は、計算科目で特に重要。簿記・会計などでは必須。
- □計算科目は、どのように長い解答プロセスを効率的にモレなく進めていくかが大事。
- □「下書き」の書き方は、問題集だけではわからない。解答解説には、解答プロセスが書かれているが、実際に解くときにどのように問題を整理し、途中の計算過程を書くかまでは示されていない。

予備校によっては、答練・模試で講師の下書き例も併せて配布。これを徹底的に「あたりまえ化」(「読み」「思い出し」「語る」を繰り返す)。

POINT1 「下書き」のメリット

・解答プロセスの理解も深まる。実際の計算を効率的に行えるようになる。
・下書きを見ることで、簿記の勘定科目の効率的な略し方(「繰延税金資産」を「DTA」と書くなど)がわかり、ラクになる。

POINT2 下書きの活用の仕方

・計算科目の得意な人の下書きを見せてもらったり、実際に問題を解く様子を見る。問題整理の仕方、計算過程のブラッシュアップができる。
・公認会計士試験では、下書きの書き方や本試験の問題の解き方を、YouTubeで公開している予備校講師の方もいる。それをチェックしよう!

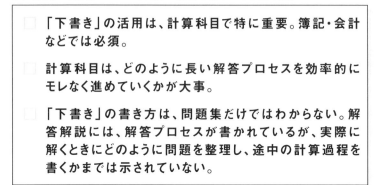

3　計算科目の「あたりまえ化」の法則

②解答プロセスを「あたりまえ化」する

「あたりまえ化」するのは解答に至るプロセス。どんなステップで問題を解くのか、解答解説を整理・繰り返す。

計算科目の解答プロセスは、言葉が省略される＝言葉を補う必要がある。

テキストにある例題の解答プロセスを九九のように一瞬で語れて解けるようにする！

解答プロセスに言葉を補う手順

1 数式から思い出される言葉や文章を書き加えていく。
2 書き加えた言葉で見出しになるものを大きく書いたり、○で囲む。
3 言葉や文章のなかに、キーワードや見出しに使えるものがあれば、やはり○で囲んだり、大きく書き直す。
(例)「割引現在価値」という言葉を○で囲むなど。
4 見出しにナンバーをつけて、順番も明確にする。
(例)「①」割引現在価値、「②」計上額、「③」利子率、「④」耐用年数・残存価額

解答プロセスを構成する「ステップ」(例　リース会計)

求める答えは、リース資産・債務額、減価償却費や支払利息の額など。それらを導く解答プロセスは、次のステップに分けられる。

1 リース料総額の割引現在価値を算出する
2 リース資産としての計上額を判定する
3 支払利息を算定するための利子率を選択する
4 減価償却費を算定するための耐用年数・残存価額を選択する

この流れが明確になるよう、例題の解答プロセスに見出しをつけていく。ここでもポイントは「ざっくり!」繰り返すなかで細かいところへ。

解説動画

⑤計算科目の勉強では、講義を視聴し、言葉、イメージを補う ❷

POINT1 講義(動画)の活用法

・講義は**基本1回**だけの視聴で終える。
⇒講義を視聴しながら、問題集に必要な言葉を書き加える。
⇒講義は**30分以上時間が取れるときに、机の前に座って**視聴。
・繰り返して「あたりまえ化」するのは紙のテキスト・問題集。

POINT2 講義では講師のこの言葉に注目

1 「要するに」「つまり」

この言葉の後は、これまでの話を要約した内容。見出しになるようなキーワードが拾える可能性が高い。

2 「最初」「次に」

講師が順番を意識して話をしているときは、解答プロセスのステップとなる言葉が拾える可能性が高い。

3 「もう一度いいますよ」

講師が強調するところは重要ポイント。この後は、要約した形、言葉で伝えられる可能性が高く、見出しになりやすい。

3 計算科目の「あたりまえ化」の法則

④計算科目の勉強では、講義を視聴し、言葉、イメージを補う ❶

計算科目の解答プロセスは言葉が省略されており、数式が苦手な人はイメージがわきにくい。また、事例問題といっても数値の操作がメイン。抽象度が高くなり、テキストを読むだけではイメージがつきにくい。

予備校やYouTubeなどの講義を活用するメリット・デメリット

【メリット】

- 講義では、講師がテキストの解答解説に書かれていない言葉を語ってくれる。
- 「数式に言葉を補う」「ステップに分け、見出しをつける」ことがやりやすくなる。
- 講義は、具体例、イメージを用いてわかりやすく解答解説の数式の前提知識、文章を補ってくれる。

【デメリット】

- 紙で製本された過去問題集・テキストのように、勉強のスピードが上げにくい。
- 倍速などで「速く」視聴できても、「ざっくり・繰り返す」ことや「あたりまえ化」したところを消すことができない。

⑦試験当日の計算科目の取り組み方

当日の重要ポイント

- 計算科目も、基本問題で確実に点数を取ることが重要。
- 難問にハマって時間を浪費しない。
- 絶対気をつけるべきワナは、「簡単な」問題にハマって時間を浪費すること。「簡単な」問題こそハマりやすい。

難問ならあきらめもつくが、簡単(そう)なので、あきらめられずにハマってしまう!

POINT1 私の体験

公認会計士短答式試験の「管理会計」「財務会計」の問題でハマってしまった。どちらも単純に問題文の読み間違いが原因!

簡単な問題だと思い、実際にスラスラと解けたが、選択肢に解答がない……。
⇒最初に問題文を読み間違えていることに気づけず、何か条件を見落としているのではないかなどと考え、時間を浪費!
⇒論文式試験なら、ただ間違えるだけだが、択一式試験は選択肢が与えられているので、延々と選択肢に合う答えが出るまで時間を使ってしまう。

「管理会計」の問題文に「貨幣の時間価値を考慮しないで」とあったのに、わざわざ「貨幣の時間価値を考慮して」(つまり割引現在価値を)計算(多くの問題を考慮するパターンだったので)。

「財務会計」の問題では、ある数値を3ケタ読み間違えて計算。180千円を180,000千円と読み間違えた。


このように、簡単な問題にハマらないように、次の2点は必ず行う。
1 条件を確認し、○で囲む。1、2、3など数字を振り、整理する
2 簡単な足し算でも計算するときは数字を書き出し、問題文どおりか確認する。

3　計算科目の「あたりまえ化」の法則

⑥計算せず、電卓を叩かず、思い出し語りまくる

計算科目で結果を出すためには「計算せず、電卓は叩かない」

> 計算科目は、「解答プロセスを、思い出し語りまくる!」。
>
> 計算科目の試験は、電卓を叩き、計算して、問題を解く⇒この練習は必要。ただ、考えない「作業」になりがち。
>
> 「作業」に逃げずに、めざす結果＝解答プロセスの「あたりまえ化」を「読む」「思い出し」「語る」で行う。

POINT1　計算して電卓を叩く勉強にひそむワナ
→試験本番で結果を出せない＝報われない勉強になりがち

・計算問題は、電卓を叩いて、計算することが必要。ただ、これだけだと表面的な「考えない」作業になる
・計算して正解をすることはかなり気持ちがいい。また、作業を伴うので達成感を感じる。電卓を叩くことが勉強と錯覚する。
・電卓を叩いて、計算し、答えが合うと、その問題の内容、解答プロセスを深く理解し、記憶しているように勘違いする。
・計算して電卓を叩く勉強は、時間がかかる。このため、「あたりまえ化」のキモである「繰り返し」がなかなか進まない。

POINT2　解答プロセスを思い出し語る
→圧倒的に報われ度合いが高い。

・問題を見たら、ただその解答プロセスを思い出す。キーワードを○で囲んだ見出しや、講義から拾った見出しなどをざっくりでいいので思い出し語る。
・計算して電卓を叩く勉強より、1回あたりの時間は圧倒的に短く済む。
・机に向かわなくても歩きながらでもどこでもできる。一気に回転数が増える。
・問題を解くのに必要な知識の理解、記憶の現状を確認できる。わかっていないところ、覚えていないところが明確になりやすい。

②問題集・答練・模試を「あたりまえ化」する

論文式でもテキストより過去問&答練・模試&対策問題集

「あたりまえ化」の法則＝繰り返し「読む」「思い出す」「語る」の3サイクルが基本動作！

以前

論文式試験＝テキスト中心の勉強を推奨。

論文式は択一式と比べて1回あたりの問題数が少なく、問題集だけでは量が不足すると考えていた。

しかし、公認会計士試験受験で、
論文式でも問題集を中心にしたほうがいいと気づいた。

現在

論文式試験＝過去問を含め問題集中心の勉強を推奨！

問題集の量の不足は、予備校の答練や模試、さらに論文対策問題集でカバーできる。

テキストは「あたりまえ化」するには膨大すぎて不可能。現実的でない。

過去問を中心に。加えて、繰り返し前提で答練・模試・対策問題集にも取り組む。あくまでテキストは補助！

4 論文式試験の「あたりまえ化」の法則

①論文式試験で書く勉強をしないほうがいい理由

「書く」ために「語る」

> 論文式試験は、答案用紙(もしくは端末)に文章を「書く」ため、試験勉強でも「書く」練習は必要。
>
> ただ、勉強ではできるだけ「書かない」ほうが繰り返しが増えて、試験で「書ける」可能性が高くなる。

POINT1 「書かない」ほうがいい理由

・「書く」ことは、かなりの時間とエネルギーを使う。しかも「今すぐ書こう」といってすぐには書けない。
・「書く」と労力がかかり、「あたりまえ化」に必須の「繰り返し」の回数が少なくなる。

POINT2 「語る」ことをおすすめする理由

・そもそも語れなければ書けない。「語る」ほうが「書く」よりも時間、エネルギーがかからない。
・「語る」ことは歩きながらでも、短時間でもいつでもどこでもできる。

POINT3 具体的な語り方

・目の前に小学6年生の子どもがいると想像し、その子がうなずいてくれるレベルで説明する。
・「語る」ための3つのポイント
1 頭のなかであいまいに、もごもごいわない。
2 声に出す。声に出さなくても口を動かす。
3 抽象(要するに……)・具体(たとえば……)両方の内容で「語る」。

POINT4 何を「語る」か?

・ズバリ、問題集・答練・模試の解答(計算科目は解答プロセス)。これは、試験本番で書くことが求められる知識。
・論文式は自分で言葉を思い出して書かなければ、合格できない。
・試験本番までに少なくとも、問題集・答練・模試の解答は「こんなの当然」とスラスラ語れるようになることが必要。

④STEP1 問題のタイトルをつける

論文式試験の勉強では、まずは問題のタイトルをつける。
タイトルは「あたりまえ化」の起点となり、道しるべになる。
内容を思い出すとき、混乱したり迷ったときはタイトルに戻る。

- [ ] タイトルは格好よくするとか、全部の内容を押さえようとしなくていい。
- [ ] 問題の内容を少しでも思い出せる言葉をつける。いきなりつけるので間違っているかもしれないが、それでも構わない。
- [ ] 問題文をパッと見て、「この問題はおそらく○○について聞いている」と思えば、その「○○」をタイトルにすればいい。
- [ ] 問題文は全部読む必要もない。深く読まなくてもいい　⇒　「あたりまえ化」の基本＝「ざっくり」でOK!

  (例)「自己株式」「取締役会」「競業避止義務」などの単語でOK。

POINT1

・タイトルになった「○○」は、おそらく問題文のどこかに出てきた言葉。それを○で囲んでおく(使うペンはP.244参照)。
・まじめな人ほど、「このタイトルでいいのか?」と悩んで止まりがち。仮決めOK、とにかく止まらない。
・時間制限のため、キッチンタイマーなどを活用。

POINT2

・問題文や解答解説を読みたくなったら読んでもOK!　しかし深く読み込まない。
・読んでいてイヤになる前にさっさと次の問題に移る。どんどん前に進むことを意識。

4 論文式試験の「あたりまえ化」の法則

③問題集を「あたりまえ化」する8つのステップ

以下の8つのステップで「論文式」の「あたりまえ化」はうまくいく。

問題（タイトル）の「あたりまえ化」

STEP1 問題のタイトルをつける

STEP2 問題のタイトルだけをただ眺める

STEP3 タイトルをプロッキーで大きく書く

※プロッキー ＝ 水性サインペン

解答解説の「あたりまえ化」

STEP4 解答に2本の線を引いて3つに分ける

STEP5 解答に3つの見出しをつける

STEP6 見出しを思い出し、スラスラ語る

STEP7 見出しから3つのキーワードを語る

STEP8 いつでも・どこでも・ほんの少しでも語る。

※このやり方は答練・模試・対策問題集の「あたりまえ化」も同じ。

解説動画

⑥STEP3 タイトルをプロッキーで大きく書く

- STEP2で100回も問題のタイトルだけを眺めれ(思い出せ)ば、そのタイトルの言葉にかなりなじんでくる。
- 眺め続けるうち、問題文くらいは目に入る。「たしかに○○について問われている問題だなあ」と納得してくる。
- まだ問題文や解答解説はがんばって読まない。じらすぐらいでちょうどいい! なかなかなじめないタイトルはプロッキーで大きく書いて目立たせ、なじみやすくする。

タイトルこそ、試験当日まで「語る」ための大事な手がかりであり道しるべ。
なじめないタイトルはプロッキーで超大きく書こう。

タイトルをプロッキーで大きく書く理由

・なじめない、なかなか頭に入らないなら、悩むより大きくタイトルを書き直す。
・大きく書けば、繰り返しのとき、タイトルが読みやすくなる。素早く読め、印象も強くなり思い出しやすくもなる。
・問題文の冒頭の上の余白に、プロッキーで大きく書き加えてもよい。
・色はなんでもOK。赤・青・緑がおすすめ。色分けを気にしない。迷いなく大きく書く。

とにかく大きく、タイトルを書く。効果絶大。

・大きく書いたタイトルだけを眺めると、さらに読むスピードが速まるのを実感できる。

STEP3での繰り返しのPOINT

- 論文式も「読む」「思い出す」「語る」の繰り返し。目安は1万回だが、大きく書いたタイトルだけや、「思い出す」だけを繰り返す数も含む。ただ、繰り返しの回数は「経過」であり、大事なのは「結果」=「あたりまえ化」であることを忘れない。

最終的には解答の「あたりまえ化」が必要だが、まずはタイトルの「あたりまえ化」ができてないと話にならない。
解答の前に「タイトル」を「あたりまえ化」(読み、思い出し、語るを繰り返す)しておくことで、ラクに本文に入れる。

解答の繰り返しももちろん必要!→詳細はSTEP4〜8で説明。

4　論文式試験の「あたりまえ化」の法則

⑤STEP2 問題のタイトルだけをただ眺める

各問題のタイトルをつけ終わったら(キーワードを○で囲んだら)、次にそのタイトルだけをただ眺める。


問題集をパラパラとめくりながら、STEP1でつけたタイトル(キーワード)だけを追いかける。

1ページ1秒もかからないはず。200ページの問題集なら、3分以内で1回転させる。

このSTEPで問題文や解答解説を読みたくなったら読んでもOK。ただ途中でイヤになったら、次の問題のタイトルを眺めにいく。

POINT1

この段階では、まだ知らない単語や知識が多い。⇒単語を見るだけでも、脳にはかなりの負担。

負担をかけすぎると勉強自体がイヤになる。とにかくがんばりすぎない。

欲を出さず問題のタイトルをただ眺める。

POINT2

目安＝全問のタイトルだけを100回眺める(思い出す)。その科目で何が問われるのかがわかってくる。

このSTEPを繰り返すと、問題タイトルを眺めるスピードはどんどん速くなる。1ページに1秒もかからなくなる。⇒目安200ページでも1分ほどで1回転できる。

POINT3

眺めるうちに、「この問題は○○よりも□□のほうがいいかも」と思えば、タイトルを変えることもアリ。

論文式試験がある超難関試験は長丁場。まだ焦らない。最初は問題のタイトルだけを眺めまくる。

POINT4

このSTEP2によって、タイトルを「あたりまえ化」することで、その科目の全体像がわかってくる。

読みたいという気持ちが高まり、さらに読もうという気になる。

⑧STEP5 解答に3つの見出しをつける

□ ここまでくると長い解答も少しはラクに眺められる。

□ まだ解答本文をしっかりがんばって読もうとしない。

解答に3つの見出しをつけよう

・問題タイトルを眺めつつ、STEP4で2本の線を引いて分けたところに何が書いてあるか。それぞれに見出しをつけていく。

・解答本文に見出しになるような言葉があれば、それを使ってもOK。各解答が何について書いているか、ざっと眺めながら決める。

※問題と同じように、正確な見出しはいらない。

※それぞれの部分のキーワードとなりそうな言葉を○で囲めばOK。

見出しとなる用語を見つける3つのポイント

講義を視聴するときと注目するところは同じ!　次の3つを○で囲んで注目。

1 繰り返し出てくる用語

二度、三度と繰り返し出てくる用語はキーワードの可能性が高い。

2 「○○とは……」と定義を解説している用語

その言葉の定義などが説明された用語はキーワードの可能性が高い。

3 「要するに……」「つまり……」と要約された後の用語

文章は一般的に、
「たとえば……」と具体的に説明する部分と
「つまり……」と抽象的にまとめる部分
に分かれる。
⇒キーワードは抽象的な部分にある可能性が高い。
※目立たせたければ、問題タイトルのように、ブロッキーで太く大きく書く。

4　論文式試験の「あたりまえ化」の法則

⑦STEP4 解答に2本の線を引いて3つに分ける

ここからは解答の「あたりまえ化」。でも、まだ読まない。

解答を眺めて、「ここで切れて分かれそう」と思うところに線を引くだけ。

論文式問題集に掲載される解答は、2ページになる場合も。それをがんばって読んでも、途中でつらくなるだけ。

線を引くのもがんばらない。繰り返し読むうちに、「ここで切れてそう」と気づくので、そこで引けばOK。

脳の負担を減らし、読みやすくするために、
まずは線を引いて区切る!

この上下には2本の横線がある。
線があるだけで一息つける。文章が読みやすくなる。

※「2本」はあくまで目安。「2本」の線を引くと3つに分かれる。このくらいだと脳が読むのに負担を感じない。

※「2本」など、本数に縛られない。まずは1本の線を引くだけでOK。1本の線を引くだけでも、勉強は前に進んでいる。

⑩STEP7 見出しから3つのキーワードを語る

見出しから3つのキーワードを語る方法

1 見出しがスラスラと語れるようになれば、細かい内容を読むのに抵抗はなくなってくる。だんだん解答本文を読んでいく。

2 ただ、1 がまだキツいと感じるなら、がんばって読まない。もう1STEP追加して、一つの見出しがついた部分をさらに3つに分けていく。

・「／」(スラッシュ)を入れて明確に分ける。
・それぞれの部分のキーワードと思われる用語を○で囲む。
・ここでも勉強のハードルは下げる。解答本文を読むのがキツければ、タイトル、見出し、キーワードだけを眺めればOK。

解答の構造を押さえながら、繰り返し「読む」「思い出す」「語る」ことで、知識の骨組みがしっかりする。

後は細かいところを肉づけすれば「あたりまえ化」できる。

- □ **論文式は、司法試験や公認会計士試験など超難関試験で採用されており、科目数も多い。**
- □ **STEP1～8をいきなり全科目の問題集で行うのはキツい。最初は1科目から始める。**
- □ **1科目ずつ「あたりまえ化」しようとするのはNG。同時に皿を回している状態(P.108参照)に。**
  ※目安は1科目がSTEP6までいったら次の問題集に範囲を広げる。
- □ **範囲を広げた問題集は、1日最低1回少なくとも問題のタイトルを眺める。**
  ⇒忘れることの防止と自分の現状把握ができる(どれぐらい覚えているか、理解しているか)を意識して勉強する!

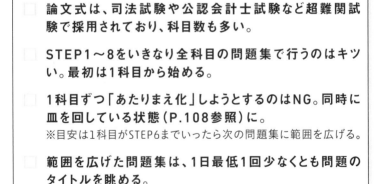

4　論文式試験の「あたりまえ化」の法則

⑨STEP6 見出しを思い出し、スラスラ語る

- ここから、問題・解答を、徹底的に繰り返し眺めていく。
- 繰り返しの目安は1万回（ただし、これは「経過」。大事なのは「結果」＝「あたりまえ化」）。
- ①タイトル、②見出しがスラスラ語れるようになったら、だんだん解答本文に、読み進める。

解答をきっちり読もうとする。丸暗記しようとする。

タイトルをつけ、見出しをつけて階層的に整理・理解・記憶する。

○のように読めば、論理力・思考力がつく！

- 解答を論理的に（階層構造で）整理しながらとらえる。
- 細かい知識にとらわれず、論理の流れを追いかける。
- タイトルや見出しから「○○とは何？」と考える習慣がつく。
- 結果的にラクに理解・記憶できる。

POINT

- 最重要なのは止まらないこと。ページをめくるのをやめない。
- 最終的には、解答解説の細かい知識までの「あたりまえ化」。だが最初は焦らず、タイトル、見出しを繰り返し見る。だんだん細かいところに入る。
- 問題文は読みたくなったら読んでもOK。ただ、イヤになってきたら、がんばらないで次の見出し・問題に飛ぶ。
- とにかく勉強のハードルを下げる。問題タイトルだけでも見れればOKを出す。
- 問題タイトルを見て、解答につけた見出しをスラスラと思い出せるか。

「あたりまえ化」の実践例：「問題集をあたりまえ化する8つのSTEP」

このタイトルを見たら、P.243～の8つのSTEPをすぐに思い出し、口に出せる状態。

参考:公認会計士試験の場合

⑫会場配布の「法令基準集」を事前に学んでおく

法令基準集の活用法

- □ 論文式試験では、ただ記憶しているかだけでなく、思考力・論理力を見極めるために、法令基準集などの資料を当日配る試験がある。(例)公認会計士試験:「会計学」「租税法」「監査論」「企業法」の各科目で「法令基準集」が配布。
- □ 法令基準集は、本試験で配布されるものとほぼ同じものが市販されており、試験前に入手可。

試験中は法令基準集を自由に参照可。必要なことは見て書けばいい。しかし、どこに何が書かれているかも含め、覚える必要のある知識もある。

基本的知識は記憶していないと、試験当日に大きなハンディ。脳に負担をかけ、法令基準集を引く時間も余計にかかる。

(やるべきこと)

試験当日までに、何が法令基準集のどこに書かれているかを把握。また、何をどのレベルまで覚えるかを明確にしておく。

公認会計士試験で法令基準集が必要な科目

租税法	所得税の各種控除の細かい数字など→法令基準集を見ればOK。数字をきっちりと覚えておかなくてよい。 ※控除の種類やおおまかな内容は、試験勉強の段階できちんと理解・記憶しておかないと素早く法令基準集を引けず、本番では通用しない。
企業法	条文番号→論文式の解答では完璧に記憶する必要はない。条文番号なども法令基準集を見ればOK。「会社法」をはじめとした関連法の条文が掲載されている。 ※細かい条文の文言はともかく、法律の内容を記憶・理解しておくことは必要。 ※立法趣旨など(解答を書くのに必ず押さえておかなければいけない知識)→正確に細かいレベルで記憶。法令基準集には掲載されていない。
監査論	監査基準報告書(ただし全文は掲載されていない)が試験内容に直結。何がどこに書かれているかは押さえておく。

※この3種の法令基準集は試験前に買ってテキスト・参考書として使い、慣れておこう。
※試験当日は、まっさらの法令基準集が渡される。それを使い慣れた辞書のように使えるようになっておく。

4　論文式試験の「あたりまえ化」の法則

⑪STEP8 いつでも・どこでも・少しでも語る

最後のステップ＝「あたりまえ化」まで語り続ける

> **ここまできたら、試験当日までに、過去問・論文対策問題集の解答（できれば答練・模試の解答も）をスラスラと語れる＝「あたりまえ化」まで、繰り返すだけ。**
>
> **繰り返し回数の目安は1万回!!　スキマ時間を含めて、いつでも・どこでも・少しでも思い出し、語り続ける!**

いつでも・どこでも・少しでも語り続けるために

1 トイレ・洗面台などで語る

毎日必ず行く場所に、問題のタイトル、解答の見出しだけを書いて貼る。それらを見て、その内容を思い出し、語る。

2 部屋で寝転がって語る

大きな模造紙に太く大きく、問題のタイトル・見出しだけ書き出す。それを寝る場所の天井に貼る。寝ながら眺めて語る。

3 駅、バス停まで歩くときに語る。

必ず手には何かの問題集を持っていく。歩きながら、チラチラと問題のタイトル、見出しに目をやり、キーワード・内容を語る。見やすいようにタイトル・見出しは大きく書く。

4 電車やバスに乗っているときに語る

満員電車でもブロッキーで太く書かれた問題のタイトルは、チラっと見るだけで読める。そのタイトルから見出し、キーワードを思い出し、心のなかで語る。

5 子どもをあやしているとき

子どもに試験の内容を語る。私は行政書士を勉強しているとき、3歳の息子に民法・行政法について語っていた。

とにかく「読む」「思い出す」「語る」の繰り返し回数を増やし、「あたりまえ化」するためには、がんばらなくてもできる環境・仕組みを作ること。

5　デジタルツールの活用について

①紙の本は使いやすい!

勉強に効率・効果を求めるなら、紙の問題集・テキストが圧倒的にいい。

POINT1

勉強を始めるスピード

早　紙の本
＝10秒もかからず勉強を開始。

遅　スマホやタブレット
＝開始に1分はかかる（アプリ起動など）。

繰り返し・検索スピード

速　紙の本
＝めくりやすく、操作性が高い。

遅　スマホやタブレット
＝スムーズにめくれるが、紙には劣る。

デジタルツールはサブで使う!　アプリの使い方・勉強法マニアにならない。

1）英単語・（単純な）択一式には、忘却曲線などで出題頻度をコントロールできるアプリを活用。
2）音声学習は試験勉強のハードルを下げる。記憶に音声は欠かせない。

POINT2

- □ 忘れ度合、出来具合による出題頻度のコントロールができるアプリの活用は、効果的な勉強につながる。
- □ 「オーディオブック」「耳読」は勉強のハードルを下げてくれる。ページをめくる、目を動かす努力も不要。
- □ 簡単に録音・倍速再生できるアプリで、記憶したいキーワードの定義などの録音・再生。
- □ 「読み上げアプリ（文書を読み込み音声で読み上げる。吹き込み不要）」も活用の可能性あり。（例）公認会計士試験の原価計算基準、会計基準、監査基準報告書などを対象に。

4　論文式試験の「あたりまえ化」の法則

⑬論文式試験当日の取り組み方

論文式試験当日のポイント

> 論文式試験本番は、「タイトル→見出し→キーワード」の順でだんだんと細かく考える。
> 論文答案にはいきなり答えを書かず、まず下書きする。浮かんだキーワードや項目をとにかくどんどん書き出す。
> 長文を時間内にまとめるには下書きによる全体構成は必須。
> 「あたりまえ化」した問題集・答練・模試の解答の内容に沿って答案を書く。
> 「法令基準集」も徹底的に活用する。

STEPの概要

「ざっくりとキーワードを書き出す」「頭の外に出して見返す」「思い出される記憶で項目を広げる」「より詳細な内容を書き出していく」

具体的な論文構成・執筆法

1 問題のタイトルを明確化

何についての問題か？　問題文を読みながら、キーワードを○で囲む。試験勉強と同じく、問われていることを明確にする。

2 タイトルから浮かんでくる言葉をそのまま書き出す

1 を行うと「あたりまえ化」されている記憶から関連する知識が思い出される。それを下書き用紙にとにかくどんどん書き出す。まだ分類しない。

3 法令基準集の目次から関連箇所を確認

法令基準集の目次をざっと眺めて関連箇所を特定。それから関連箇所の本文の見出しをざっと眺める。さらにキーワードを書き出す。使えそうなところのページを折っておく。

4 キーワードから見出しをつける。全体構成を固める

書き出したキーワードを眺める。似たものを○で囲んでつなぐ。関連するものを矢印で結びながら、見出しと全体構成を決めていく。

5 見出しごとにキーワードを3つ決め、書いていく

見出しごとに外してはならないキーワードを決める。それらを盛り込み書いていく。全体構成を確認し、最初で書きすぎたりしないよう、分量配分にも注意。

おわりに

さて、なぜ「結果が出る」のか？　おわかりいただけたでしょうか？

「？？？？」という方は、まずは「結果が出る」3つのポイントを思い出してみてください。もし、思い出せなかったら序章に戻ってみてください。

「あたりまえ」と思われる内容かもしれませんが、試験勉強では「あたりまえ」ができていない人がほとんどです。まずは、この「結果が出る」3つのポイントを「あたりまえ」に実践できるようになりましょう！

振り返れば、私が「試験勉強の本を書くぞ！」と書き始めたのがちょうど20年前。悪戦苦闘の末、ようやく書き上げた96ページの『高速大量回転法による資格試験・超短期合格法』を印刷・製本してネット販売したのが始まりでした。

その後、『速読勉強術』から、20冊を超える本を出版してきました。一生懸命がんばっている受験生がなぜ合格できないのか？　どうすれば合格できるのか、ずっと考え、自らも実践してきた20年でした。

本書は直近の公認会計士試験をはじめ、私自身の試験勉強の実践研究、そして、私のメルマガ、ブログ、書籍の読者、セミナー受講生や宇都出塾の塾生の方との試験勉強に関する膨大なやり取りから生まれたものです。

認知科学をはじめ、勉強に関する多くの研究成果を参考にしていますが、「○○大学の□□教授の研究によれば……」というものではなく、あくまで、私自身が実践検証したものをお伝えしています。

ぜひあなたも、本書の「結果が出る」3つのポイントを押さえ、日々、あなたの現状、そしてめざす「結果」と向きあい、あなたなりの勉強法を生み出しながら、「試験合格」という成果を達成してください。

たかが試験、されど試験、ですから。

2024年　1月　宇都出雅巳

本書を、家庭の事情で公認会計士受験を断念せざるをえなかった父に捧げます。

宇都出雅巳（うつで・まさみ）
速読×記憶術を活用した勉強法の専門家。トレスペクト教育研究所代表。
1967年生まれ。東京大学経済学部卒。出版社、コンサルティング会社勤務後、ニューヨーク大学に留学（MBA）。外資系銀行を経て、2002年に独立。30年以上にわたり、速読・記憶術を試験勉強に活用しながら実践研究を続け、脳科学や心理学、認知科学の知見も取り入れた独自の勉強法を確立した。司法試験、医学部受験など難関試験にチャレンジする多くの受験生を合格に導くとともに、自らもCFP（フィナンシャルプランナー）、行政書士、宅建士、公認会計士試験などに合格、TOEIC® L&R TESTでも990点（満点）取得。NHK・Eテレをはじめメディア出演も多数。現在は監査法人に勤務。
著書に、『速読勉強術』（PHP文庫）、『どんな本でも大量に読める「速読」の本』（だいわ文庫）、『「1分スピード記憶」勉強法』（知的生き方文庫）、『合格（ウカ）る技術』・『合格（ウカ）る思考』（すばる舎）、『ゼロ秒勉強術』（大和書房）など多数。

■トレスペクト教育研究所　https://www.utsude.com/
■ブログ「だれでもできる！速読勉強術」　https://ameblo.jp/kosoku-tairyokaiten-ho/

装丁・ブックデザイン　岩永香穂（MOAI）
イラスト　大野文彰（大野デザイン事務所）
DTP　有限会社マーリンクレイン
動画制作　島本幸作
編集　藤明隆（TAC出版）
プロデューサー　猪野樹（TAC出版）

どんな人《ひと》でも
1番《いちばん》結果《けっか》が出《で》る勉強法《べんきょうほう》
合格《ごうかく》は「あたりまえ化《か》」の法則《ほうそく》

2024年2月9日　初版　第1刷発行
2024年4月17日 初版　第2刷発行
著者　宇都出雅巳
発行者　多田敏男
発行所　TAC株式会社　出版事業部（TAC出版）
〒101-8383 東京都千代田区神田三崎町3-2-18
電話 03（5276）9492（営業）
FAX 03（5276）9674
https://shuppan.tac-school.co.jp
印刷　株式会社ミレアプランニング
製本　株式会社常川製本

落丁・乱丁本はお取替えいたします。

ISBN 978-4-300-10915-1

N.D.C. 301